NÃO FAÇA TEMPESTADE EM COPO D'ÁGUA NO AMOR

Richard Carlson, Ph.D.
&
Kristine Carlson

NÃO FAÇA TEMPESTADE EM COPO D'ÁGUA NO AMOR

Maneiras simples de estimular e reforçar seus relacionamentos e ao mesmo tempo evitar hábitos que podem prejudicar sua união amorosa

Tradução de
ALYDA CHRISTINA SAUER

Rocco

Rio de Janeiro – 2001

Título original
DON'T SWEAT THE SMALL STUFF IN LOVE
Simple Ways to Nurture and Strengthen Your Relationships
While Avoiding the Habits That Break Down Your Loving Connection

Primeira publicação por Hyperion, Nova York, N.Y.

"Publicado mediante acordo com Linda Michaels Limited,
International Literary Agents."

EDITORA ROCCO LTDA.
Rua Rodrigo Silva, 26 – 5.º andar
20011-040 – Rio de Janeiro – RJ
Tel.: 2507-2000 – Fax: 2507-2244
e-mail: rocco@rocco.com.br
www.rocco.com.br

Printed in Brazil / Impresso no Brasil

preparação de originais
MÔNICA MARTINS FIGUEIREDO

CIP-Brasil. Catalogação-na-fonte
Sindicato Nacional dos Editores de Livros, RJ

C281n Carlson, Richard, 1961-
Não faça tempestade em copo d'água no amor: maneiras simples de estimular e reforçar seus relacionamentos e ao mesmo tempo evitar hábitos que podem prejudicar sua união amorosa / Richard Carlson & Kristine Carlson; tradução de Alyda Christina Sauer. – Rio de Janeiro: Rocco, 2001
. – (Arco do Tempo)

Tradução de: Don't sweat the small stuff in love: simple ways to nurture and strengthen your relationships while avoiding the habits that break down your loving connection
ISBN 85-325-1067-1

1. Amor. 2. Relações homem-mulher. I. Carlson, Kristine, 1963-. II. Título. III. Série.

CDD - 306.7
01-1260 CDU - 392.6

Dedicamos este livro às nossas filhas, Jazzy e Kenna.
A maior dádiva que podemos oferecer para vocês é
o amor que sentimos um pelo outro.

AGRADECIMENTOS

Principalmente e antes de mais nada, gostaríamos de agradecer de todo o coração aos nossos pais, Pat e Ted Anderson e Barbara e Don Carlson, por serem as pessoas especiais que são. Amamos vocês demais. Obrigado por nos ensinar, partilhando o seu amor e suas idéias conosco, e por nos terem criado para sermos pessoas felizes.

Agradecemos também a Jazzy e a Kenna por nos dar tanta alegria e risos na vida. Vocês são amadas agora e para sempre.

Também queremos demonstrar nossa gratidão pela nossa editora, Leslie Wells, por sua mágica habilidade com as palavras, e por toda a equipe da Hyperion por ser tão divertido trabalhar com todos. Como sempre, um agradecimento especial a Patti Breitman por ser uma agente maravilhosa e, o que é mais importante, uma amiga querida e leal. Obrigados também a Linda Michaels por partilhar este livro com pessoas do mundo inteiro.

E finalmente, um obrigado muito especial a vocês, nossos leitores. Esperamos que os seus relacionamentos ganhem força e estímulo com a leitura deste livro.

SUMÁRIO

INTRODUÇÃO

Quando perguntamos às pessoas "Como vai indo o seu relacionamento?", costumamos ouvir respostas como "Está bom, eu acho" ou uma variedade de outras reações igualmente desanimadas ou inseguras. Qualquer que seja o motivo, muita gente parece acreditar que é normal e perfeitamente aceitável se contentar com um relacionamento "bom". Às vezes até os casais que dizem que têm um bom relacionamento parecem confusos sobre o verdadeiro significado de um "bom" relacionamento. Ou seja, podem dizer que têm um bom relacionamento, mas parecem sentir ou expressar irritação e frustração constantes com o parceiro ou parceira, ou pelo menos com alguns aspectos do relacionamento. Pode haver conflitos ou provocações constantes, falta de harmonia ou satisfação, ressentimentos, um desejo de que o parceiro ou parceira seja diferente, ou simplesmente falta de alegria e gratidão verdadeiras.

Vamos pedir para você considerar que não importa em que estado se encontra o seu relacionamento, do mais problemático ao mais maravilhoso, ele pode ser ainda melhor, com pouquíssimo esforço. Nenhum relacionamento é perfeito, e cada relação é única, mas acreditamos que qualquer união, romântica ou não, pode ser aprimorada por meio da implementação de algumas estratégias muito simples, criadas para tornar mais leves nossos espíritos, abrir nossos corações, melhorar nossas vidas e alargar nossos horizontes. É sobre isso que trata este livro.

Os seres humanos são criaturas extraordinárias no sentido de que quando temos uma visão ou objetivo específico, muitas vezes somos capazes de atingir esse objetivo ou, no mínimo, chegar perto dele. Em termos dos nossos relacionamentos, isso significa que é importante termos a visão mais elevada possível. Sugere que podemos ter tudo: podemos ser os melhores amigos, almas gêmeas e verdadeiros parceiros, em todos os sentidos da palavra. Individualmente e como um casal, podemos ser mais carinhosos, alegres, cordatos, generosos, gratos, pacientes, tolerantes e misericordiosos. Também podemos desenvolver uma perspectiva maior, um senso de humor melhor, aprimorar nossa capacidade de ouvir e, talvez o mais importante, a capacidade de nos levar um pouco menos a sério. É possível ter mais de todas essas coisas e também quaisquer outras qualidades ou virtudes que consideramos importantes. E talvez a melhor parte disso tudo seja que quando você ou seu parceiro falhar, vocês poderão ser mais condescendentes um com o outro e com o seu relacionamento. Não farão tempestade em copo d'água. Tudo que precisam é de determinação e um pouco de prática.

Apesar da nossa natureza otimista, somos realistas. Não estamos sugerindo que se você parar de fazer tempestade em copo d'água no amor, não terá mais problemas, ou que não vão se desentender, pelo menos de vez em quando. Tampouco estamos sugerindo que não haverá momentos em que terão dúvidas, e até mesmo momentos em que pensa que seu parceiro ou parceira está enlouquecendo você. Mas estamos sugerindo que qualquer frustração que você sentir será abreviada, e que mesmo suas disputas e conflitos podem ser abordados com maior facilidade e perspectiva. Em outras palavras, mesmo no meio de um conflito, você terá a segurança de saber que pode superar esse problema e resolvê-lo, e que enquanto estiver enfrentando isso, poderá recorrer à sua união amorosa.

Escrever este livro a quatro mãos foi muito divertido e um dos pontos altos da nossa vida juntos. Deu-nos a oportunidade de refletir melhor sobre o que acreditamos ser o segredo de uma união carinhosa e estimulante. Nenhum de nós se considera necessariamente um especialista em relacionamentos, mas achamos que o nosso é muito bom. Estamos casados há treze anos e nos conhecemos há dezessete. A grande maioria do tempo temos sido carinhosos, gentis e temos respeitado um ao outro, e nos consideramos muito bons amigos. De vez em quando aborrecemos um ao outro, mas temos a felicidade de poder dizer que isso é muito raro.

Quando refletimos sobre o nosso relacionamento, fica claro que apesar de cada um de nós ter muitos defeitos, nossa maior força é não fazer tempestade em copo d'água... com muita freqüência. A maior parte do tempo conseguimos enfrentar as situações com calma e firmeza e nos concentramos nos pontos fortes e não nas fraquezas. Em geral, esquecemos as coisas, em vez de guardar rancor contra o outro. Nós dois nos preocupamos mais em ser gentil do que em ter razão, e cada um de nós possui a capacidade de rir de nós mesmos. Descobrimos que quando não estamos sérios demais a vida fica muito mais fácil e nosso amor aumenta.

É óbvio que a vida tem desafios enormes e todos os relacionamentos também. E, infelizmente, o sofrimento é uma realidade para cada um de nós em certos momentos das nossas vidas. Mas é fascinante examinar como a maioria das pessoas lida com as coisas "realmente sérias". Você provavelmente concorda que, em geral, as pessoas enfrentam as partes sérias da vida com coragem, dignidade e criatividade. Quando uma família tem um filho doente, por exemplo, todos se unem. Todos compartilham, dão apoio, contribuem com orações, força e atos de amor e altruísmo. Da mesma forma, quando um casal passa por uma tragédia, uma doença ou morte em família, falência ou algum outro acontecimento doloroso ou difícil, em geral existe uma união de forças, sacrifícios, idéias criativas e ânimo.

Mas, felizmente, a maior parte da vida não consiste em

coisas realmente sérias. Em outras palavras, a boa notícia é que não somos mandados embora do emprego todos os dias, nem damos entrada a um processo de divórcio, nem temos de correr para a emergência do hospital a cada duas horas. Essas coisas acontecem e, quando acontecem, podem ser devastadoras. Mas esse tipo de coisa tende a ser ocasional e esporádica. De uma forma estranha, é quase como se estivéssemos mais equipados para lidar com as coisas sérias do que com as coisas pequenas. Sabemos que temos de superá-las, por isso usamos o que temos de melhor e atraímos o que os outros têm de melhor.

A verdade, é claro, é que a vasta maioria das nossas vidas é consumida pelo nosso dia-a-dia, conflitos e frustrações menores, pelo trânsito, telefonemas não respondidos, mais conflitos, caos, confusões, discordâncias, responsabilidades, coisas perdidas, barulho e assim por diante. É por isso que achamos que é tão importante aprender a lidar com as coisas pequenas... estão diante de nós o tempo todo. Até descobrimos que aprendendo a lidar melhor com as coisas pequenas passamos a enfrentar as coisas sérias que aparecem um pouco melhor também.

Esperamos que as estratégias deste livro possam ajudá-los a lidar com os pequenos problemas do seu relacionamento com mais facilidade e perspectiva melhor. Achamos que vocês vão descobrir que se deixarem para lá as distrações causadas pelas coisas pequenas, encontrarão maneiras novas e fáceis de estimular e amar um ao outro.

Uma observação sobre como este livro foi escrito: nós colaboramos no livro inteiro, mas algumas estratégias foram escritas mais pelo ponto de vista do Richard, e outras do ponto de vista da Kris, e estão assinaladas com "(Kris)" depois do título da estratégia. As que são do ponto de vista do Richard, ou de nós dois, não têm nada escrito depois do título.

Nosso objetivo não é fazer com que vocês modifiquem o seu relacionamento de acordo com um modelo, nem pintar um quadro de como vocês devem ser. Em vez disso, esperamos que as idéias deste livro sirvam de ajuda para vocês criarem os relacionamentos dos seus sonhos. Por isso, ao começar nossa aventura juntos, nosso primeiro conselho é: o céu é o limite. Quanto mais elevada a sua visão, mais alto você chegará. E mais ainda, vai parar de fazer tempestade em copo d'água... ou pelo menos diminuir bastante! Quando as coisas começarem a acontecer, sentirão mais entusiasmo e amor do que jamais imaginaram possível. Boa sorte e divirtam-se.

Richard e Kris Carlson

1

ACIMA DE TUDO, SEJAM COMPANHEIROS

Se eu tivesse de escolher uma única característica que fez nosso relacionamento continuar especial, divertido e vibrante nesses anos todos, provavelmente seria o fato de nós dois sermos, acima de tudo, muito bons companheiros. Não se engane... somos todas as outras coisas também. Temos um compromisso mútuo e somos fiéis. Compartilhamos um amor imenso por nossas filhas, temos os mesmos valores e objetivos, muitos amigos comuns, partilhamos de interesses iguais e respeito mútuo, além de atração física um pelo outro. Também fomos abençoados com os mesmos valores e crenças espirituais. No entanto, por mais maravilhosas e importantes que sejam todas essas outras características, nenhuma delas garante que o amor que sentimos um pelo outro se mantenha vivo e forte.

Afinal, existem muitos casais fiéis que discutem no carro a caminho da igreja. Há muitos pais dedicados e maravilhosos que compartilham valores semelhantes. No entanto, estão constantemente irritados um com o outro. Há também milhares de casais que têm amigos comuns, que compartilham os mesmos hobbies e interesses, e que sentem atração física um pelo outro, mas que mesmo assim brigam como loucos, são ciumentos e simplesmente não conseguem se dar bem por um longo período de tempo.

Mas quando vocês são amigos antes de mais nada, tudo parece se encaixar sozinho. Companheiros dão apoio um ao outro. São pacientes e gentis, e são tolerantes com as imperfeições do outro. Amigos são excelentes comunicadores e normalmente muito bons ouvintes. Também sabem ser sérios, quando preciso, mas amigos acham fácil se divertir e dar boas risadas. Estão sempre ligados, partilhando os momentos felizes e apoiando um ao outro nos momentos difíceis.

A melhor maneira de continuar (ou voltar a ser) amigos é saber quais são as vantagens disso para você e para o seu relacionamento. Quando estiver convencido de que ter uma grande amizade é a melhor forma de garantir um grande relacionamento, o resto será fácil. Lembre sempre que seu objetivo é tratar seu parceiro ou parceira com a mesma gentileza, com o mesmo apreço e respeito que teria pelo seu melhor amigo no mundo. Se tiver alguma dúvida, pense no seguinte: "Se essa pessoa fosse meu melhor amigo, como eu reagiria e o que faria?"

Muitas pessoas dizem "Meu parceiro/a é meu melhor amigo", mas a maioria não apóia essa afirmação com pensamentos, sentimentos e atos que sejam consistentes com ela. Ao contrário, muitos indivíduos tratam o parceiro ou parceira com mais ciúme, expectativas e cobranças, e com menos apreço, respeito e sensibilidade do que teriam com um amigo ou amiga. Muitas pessoas tratam o parceiro ou parceira como se fossem donos dele ou dela, e parecem mais interessadas na imagem de quem querem que o parceiro seja do que no que ele ou ela realmente é.

Se uma amiga disser para você "Meu sonho é mudar de profissão. Vai representar menos dinheiro, mas sei que serei mais feliz" ou se ela dissesse, "Meu sonho é morar perto da praia", você provavelmente incentivaria e apoiaria essa amiga. Mas, e se a sua parceira dissesse a mesma coisa para você? Como reagiria? Daria apoio, incentivo e tentaria ajudá-la a realizar esse sonho? Ou, automaticamente, ignorava ou tentava minimizar, dizendo ou pensando: "Você não pode (ou não deve) fazer isso. Não é prático. Não é o que eu quero."

É óbvio que o mais importante é o espírito da sua resposta. Nem sempre é possível, prático ou até desejável que seu parceiro ou parceira faça tudo o que ele ou ela quer fazer. Nem sempre podemos fazer uma mudança ou trocar de emprego. Não estamos sugerindo que seja necessário querer sempre o que seu parceiro ou parceira quer, ou que a responsabilidade de concretizar esses desejos é sua. Em vez disso, estamos dizendo que é importante lembrar como os amigos tratam os amigos e levar isso em consideração no seu relacionamento. O que é mais importante é que seu parceiro ou parceira saiba que você verdadeiramente apóia seus sonhos, possam ou não ser realizados.

Podemos garantir, de primeira mão, que ser amigos de verdade é uma bênção e um objetivo que vale a pena perseguir. Se vocês são bons companheiros, sempre descobrem um jeito de se encontrar no meio do caminho, e de partilhar os sonhos um do outro, sem sentir que estão fazendo qualquer sacrifício. Implementar essa estratégia pode exigir alguma reflexão e disposição para modificar certos hábitos, mas é um esforço que vale muito a pena.

2

APRENDA A RIR DE SI MESMO

Praticamente nada imuniza mais você das frustrações do dia-a-dia do que um senso de humor saudável, especialmente a capacidade de rir de você mesma. Todo relacionamento longo chega a um ponto em que seu parceiro a conhece quase tão bem quanto você mesma. Ele conhece suas manias, antevê suas reações de irritação e conhece os defeitos que a prejudicam. E mesmo se você tentasse, seria difícil esconder seu verdadeiro eu do seu parceiro.

Se você não é capaz de rir de si mesma, terá um caminho longo e difícil pela frente. Vai ter problemas no seu relacionamento porque quando seu parceiro irrita você, notar seus defeitos e de vez em quando mencioná-los, vai se sentir e provavelmente agirá na defensiva. Isso, por sua vez, vai exacerbar e enfatizar suas fraquezas, fazendo com que pareçam muito mais significativas. Além do mais, as suas reações aos comentários do seu parceiro criarão conflitos adicionais para vocês dois, e seu "copo d'água" começará a parecer a própria tempestade em alto-mar.

Se olhar em volta, para os relacionamentos mais felizes e cheios de amor, quase sempre notará que o casal possui a capacidade de rir deles mesmos. Os dois têm a objetividade necessária para manter uma certa despreocupação quando as próprias imperfeições vêm à tona. Isso cria um ambiente em que provocações e brincadeiras ocasionais não fazem mal, no qual ambos se sentem seguros para fazer observações e dar sugestões. Seu relacionamento pode se aprofundar e crescer porque os dois têm segurança.

É extraordinário observar o que acontece com uma interação potencialmente explosiva quando um dos dois é capaz de manter o senso de humor. Na maioria dos casos, a situação é desarmada e simplesmente se desfaz. Por exemplo, estávamos passando um tempo com outro casal e a mulher fez um comentário levemente malicioso para o marido. Especificamente ela disse: "Você fala demais." A reação dele revela a utilidade desta estratégia. Ele riu e disse com a maior gentileza: "Tem razão, certamente consigo dominar uma conversa." Mais do que as palavras dele, a capacidade de enxergar uma parcela de verdade na afirmação da mulher, de manter a humildade e de estar disposto a rir da própria tendência dissolveu o mal-estar antes mesmo de ter a chance de ganhar impulso. Em geral, quando você mantém seu senso de humor e age com humildade, seu parceiro ou parceira percebe que foi duro demais e acaba pedindo desculpas pelo comentário que fez. Mesmo quando isso não acontece, não importa porque para você já não era importante desde o início.

Durante anos ouvimos centenas de conversas como essa acabar em discussões feias porque, em vez de manter o senso de humor e levar tudo na brincadeira, a pessoa que é alvo do comentário não muito gentil fica na defensiva e se leva muito a sério. A incapacidade de usar seu senso de humor faz com que ela revide, discuta e comece uma briga.

Quando alguém se leva a sério demais dá para sentir, mesmo se a pessoa não revela suas reações. O humor dela muda, assim como sua conduta, seu tom de voz e sua linguagem corporal. Não há meias medidas: sem senso de humor você acaba sofrendo.

Lembre que, por mais maravilhoso que você seja, seu parceiro passa muito tempo com você. Se ele ou ela faz de vez em quando observações nada gentis, pode haver um quê de verdade no que diz. Mas mesmo se estiver completamente errado ou errada, provavelmente é melhor para você simplesmente deixar para lá... descartar com uma boa risada. Rindo de você mesmo, não se levando muito a sério, você será uma pessoa muito mais agradável de se conviver. Sua parceira não vai sentir que tem de andar sobre ovos para não aborrecê-lo. E no fim, como você terá criado um ambiente mais estimulante e seguro para a sua parceira, seu relacionamento será mais amoroso e muitíssimo mais divertido.

3
ESQUEÇA O QUE PASSOU

Um dia estava de carro, ouvindo um programa de perguntas pelo telefone no rádio. Em menos de meia hora, três pessoas ligaram para reclamar de alguma coisa que o cônjuge tinha feito ou, em um caso, "poderia ter feito". Nos três casos o suposto problema tinha acontecido pelo menos um ano antes da ligação. O problema de uma mulher era que o marido "poderia ter paquerado" outra mulher há cerca de dois anos. Ela estava completamente obcecada com isso, não conseguia esquecer e não sabia o que fazer. Uma outra reclamava que anos antes seu marido tinha ficado distante e que não era mais um bom ouvinte. Ela estava tentando entender o que tinha feito de errado. Era como se jogasse pingue-pongue na sua cabeça, dizendo coisas assim: "Poderia ser isso, poderia ser aquilo." Finalmente um homem ligou para contar da sua frustração ao descobrir que, no primeiro ano de casamento, sua esposa tinha inflacionado umas contas de cartão de crédito. Ele não conseguia dormir à noite por temer que ela pudesse, em algum momento, repetir esse comportamento, apesar de aparentemente ter controlado o hábito e aprendido a lição. Ele continuava zangado com ela "pelo que tinha feito com a segurança futura do casal".

Eu senti vontade de gritar: "Esqueça o que passou." Mas esse não era o conselho que a radialista estava oferecendo. Ao contrário, ela encorajava os ouvintes a ficar ainda mais envolvidos e a analisar mais ainda os acontecimentos, a encher suas cabeças de dúvidas, medos e outras preocupações. Dizia mais ou menos isso: "Você já pensou que pode haver um padrão nesse comportamento?" e "Oh, meu Deus, eu já ouvi isso antes. Tenha cuidado".

Antes de prosseguir, quero garantir que não estou defendendo a paquera de pessoas casadas, a incapacidade de ouvir ou os gastos exagerados. Essas três questões podem contribuir, e em geral contribuem mesmo, para aumentar os conflitos no casamento, assim como em outros tipos de relacionamento. No entanto, a maioria das pessoas parece ignorar por completo o impacto negativo que essa falta de disposição de esquecer o que passou exerce sobre os nossos relacionamentos. Esquecemos como é chato estar com pessoas que não sabem relevar as coisas e que se apegam a fatos passados. Não compreendemos que é muito difícil continuar amando alguém que nutre expectativas irreais de nós, que não abre um espaço em seu coração para o fato de que somos humanos. Há um velho ditado que se aplica, não só a esses três ouvintes que telefonaram, mas à grande maioria das pessoas também: "Tudo que é demais faz mal."

Os relacionamentos já são desafio suficiente sem a sobrecarga de se manterem vivos e vibrantes os problemas do passado. É útil lembrar-se do que acontece com a sua capacidade de amar, de perdoar e de crescer quando você está obcecado por uma coisa que já passou. Normalmente, quando sua cabeça está cheia de preocupações, lembranças de problemas do passado, você sente medo, desconfiança e frustração... praticamente tudo, menos amor. Sua frustração em geral se espalha por outras áreas também, e você provavelmente acaba se aborrecendo com todo tipo de "pequenas coisas".

Não estamos falando em enterrar a cabeça na areia. A verdade é que todos nós cometemos erros, nossos atos são menos que perfeitos e pelo menos de vez em quando cometemos erros de julgamento. Mas o ambiente ideal para superar essas coisas é um ambiente de perdão e de imparcialidade. Em outras palavras, se alguém que você ama cometeu qualquer tipo de erro, o melhor que tem a fazer é continuar carinhoso e oferecer apoio, não transformar o problema em um acontecimento gigantesco. Dessa forma, a harmonia ficará intacta e seu parceiro ou parceira ficará à vontade para discutir os problemas com você e se sentirá amparado no crescimento dos dois como casal.

Por isso, se você anda carregando ou se ainda se agarra aos problemas do passado, já é hora de simplesmente esquecer, deixar para lá. Em vez de alimentar sentimentos negativos e de ficar tenso o tempo todo, tome a decisão de perdoar, esqueça e siga em frente. Será recompensado com um relacionamento mais rico, mais aberto e honesto, e muito mais estimulante e cheio de amor.

4

AUMENTE O CALOR

Teoricamente, se a sua casa estivesse muito fria, haveria duas formas básicas de tornar a temperatura mais elevada. A primeira seria tapar as frestas. Você caminharia pela casa toda verificando se as janelas estavam bem fechadas, verificaria a vedação de inverno, o isolamento no sótão e quaisquer rachaduras nas paredes, em volta dos batentes das portas, e assim por diante. Fazendo isso você estaria evitando que o ar mais frio lá de fora entrasse na casa. A outra medida, mais direta (e muito mais rápida), seria simplesmente aumentar o calor do aquecimento. Bingo – em questão de minutos a sua casa ficaria quentinha e confortável –, independente de ter algumas pequenas frestas.

Você pode facilmente adaptar essa metáfora ao seu relacionamento. Pode tentar criar calor e aconchego consertando tudo o que estiver errado. Teoricamente, se você conseguisse consertar todos os conflitos e reparar todas as imperfeições, teria um relacionamento sensacional, cheio de amor e calor.

Mas como o aquecimento de uma casa, uma abordagem mais direta (e mais eficiente) seria (metaforicamente) aumentar o calor. No sentido prático, isso quer dizer que você está acendendo todos os indicadores de calor que consegue imaginar. Você se torna mais gentil e mais generoso, e começa a distribuir mais elogios. Fica menos crítico, menos teimoso, mais tolerante. Em vez de ficar irritado, você exercita a paciência e o perdão. Começa a usar mais o contato olho no olho e se transforma num ouvinte melhor. Resolve ser gentil em vez de fazer questão de estar certo, e põe as necessidades da sua parceira na frente das suas. Você diz e faz as coisas que costumava dizer e fazer quando se conheceram. Resumindo, faz qualquer e todas as coisas associadas a um comportamento amoroso. Se aumentar o calor desse jeito, seu relacionamento florescerá, apesar de ter pequenas falhas. Na verdade, com bastante calor, a maioria das falhas e imperfeições acabam se resolvendo sozinhas, sem muito envolvimento ou esforço.

Por mais óbvio que isso pareça (quando você pára e pensa a respeito), quase nunca é feito. A maior parte do tempo as pessoas adotam a outra postura, que é tentar consertar as deficiências. Acontece muito de as pessoas dizerem: "Não posso aumentar o calor até ter cumpridas certas condições, até ele ou ela começar a mudar." O problema é que o tipo de mudança que você está procurando é quase impossível na ausência de calor suficiente. É pôr a carroça na frente dos bois.

Caitlin estava frustrada e um pouco desgostosa do seu

marido Fred pela falta de ânimo dele, já que tinha sido despedido do emprego. Ela me disse: "Não suporto mais a preguiça dele. Ele só fica sentado sem fazer nada. Não está nem tentando." Ela ainda me disse que não tinha qualquer intenção de ser carinhosa com ele até ele tomar uma atitude.

Apresentei para ela a idéia de aumentar o calor. Ela precisou de um tempo para se acostumar, mas acabou aceitando que, a princípio, parecia uma boa idéia. Fez algumas mudanças sutis e ficou mais gentil. Nas palavras dela, ela "parou de cobrar dele". Sentava-se mais perto dele quando assistiam à televisão, e tirou um pouco do peso da situação. Começou a agir como uma amiga, alguém que se importava.

Ela me contou que as mudanças no Fred e no relacionamento dos dois foram notáveis. Fred começou a ficar mais animado e recuperou seu senso de humor. Ele conseguiu se abrir e partilhar seus sentimentos. Caitlin viu um lado de Fred que não conhecia, um lado mais sensível.

Depois de um período relativamente curto de tempo, Fred ficou de pé novamente e o relacionamento dos dois ficou mais forte do que antes da demissão de Fred.

A mesma dinâmica se aplica a qualquer relacionamento, independente das circunstâncias e dos desafios que vocês estão enfrentando. Ainda estou para ver uma situação em que ser mais carinhoso e gentil não é uma idéia que valha a pena levar em conta. Veja se você consegue pensar em maneiras de aumentar o calor... ficará feliz de ter feito isso.

5

CONSIDERE QUE A GRAMA PROVAVELMENTE *NÃO* É MAIS VERDE

Vivemos no que pode ser chamada de era de "troca". Trocamos casas menores por casas maiores, carros velhos por carros novos. Queremos empregos melhores, renda maior, um plano de aposentadoria mais gordo e experiências mais gratificantes. Queremos corpos melhores e freqüentar as melhores academias. Parece que todo mundo quer um computador mais potente, mais rápido e que possa fazer mais coisas. Afinal de contas, eles ficam obsoletos depois de um ou dois anos. As chamadas mais populares dizem "Novo e Mais Avançado" e "Jogue fora o velho e compre o novo". Se você acredita nos anúncios, pode até imaginar que a melhor solução para ter mais flexibilidade financeira é fazer um empréstimo maior. Assim você pode saldar suas dívidas e, ao mesmo tempo, comprar mais coisas, coisas diferentes que são melhores do que as que já possui. Nós queremos, e queremos e queremos. Sempre mais. A outra coisa será sempre melhor.

De certa forma não é de se estranhar que essa nossa tendência neurótica seja transferida para o nosso parceiro ou parceira. Afinal, a filosofia da "outra coisa é sempre melhor" está entranhada no nosso modo de pensar. Por que o nosso relacionamento seria a exceção dessa regra? Parece inevitável pensar no nosso parceiro ou parceira nesses mesmos termos, pelo menos de vez em quando. Pode ser que outra pessoa seja mais bonita ou melhor amante. Ou talvez nos trate melhor, ou seja uma ouvinte melhor ou mais atenciosa. Quem sabe se com uma parceira diferente nossas carências seriam melhor atendidas e finalmente ficaríamos satisfeitos? Essa idéia certamente é reforçada pela televisão. Na telinha parece que todo mundo está sempre tendo um caso ou encontrando um novo amor. Ninguém se satisfaz por muito tempo.

É óbvio que há momentos em que uma nova parceira ou parceiro poderia ser a resposta, mas isso com certeza é a exceção, não a regra. E apesar de você poder não estar no mercado ou ativamente procurando uma nova parceira ou parceiro, é importante saber que de certa forma até pensar nesses termos pode impedi-lo de aproveitar bem o que já tem e de transformar seu relacionamento no que ele tem potencial para ser. Quando você se concentra no que seria melhor ou na comparação entre o que você tem (ou quem você tem) com a fantasia de algo (ou alguém) diferente, está alimentando muita insatisfação e frustração.

É útil compreender e admitir que, em geral, a fantasia de

algo diferente é muito melhor do que a realidade de algo diferente. Conhecemos homens e mulheres que deixaram seus cônjuges por outra pessoa, alguém mais jovem ou mais bonito, alguém que lhes dava mais atenção ou que tinha mais dinheiro, ou qualquer outra coisa. Sem exceção, a fantasia foi melhor do que a realidade. Pessoas novas podem ser maravilhosas, mas, como o resto de nós, elas também têm problemas. Junto com os novos parceiros chega um novo conjunto de conflitos. Muita gente diz: "Se eu estivesse com outra pessoa, não teria de agüentar isso." Isso pode ser verdade, mas você teria de agüentar outras coisas. É garantido. Não há como evitar.

Essa estratégia é muito útil se você quer ter mais paz e satisfação no seu relacionamento. Também é muito fácil de implementar. Você só precisa se conscientizar da tendência de pensar que outra pessoa seria melhor... e estar sempre controlando. É só isso – nada de mais. E quando se pegar pensando nisso, tente alguma coisa um pouco diferente. Em vez de ficar perturbado com pensamentos do que ou de quem seria melhor, veja se consegue descobrir um modo de tornar o relacionamento que já tem o melhor possível. Aprecie o que você tem agora e provavelmente vai descobrir que a grama do vizinho nem sempre é mais verde.

6

JOGUE FORA SEU PLACAR

Se você quisesse uma maneira absolutamente previsível e completamente confiável de garantir uma frustração crônica, e uma forma praticamente garantida de afetar negativamente o seu relacionamento, seria manter um placar do que você faz e do que o seu parceiro ou parceira não está fazendo. E se realmente quisesse aumentar o problema, podia mostrar para ele ou ela, com certa regularidade, como ele ou ela não corresponde às suas expectativas... e como você está fazendo muito mais do que ele ou ela!

Por mais ridícula que essa idéia possa parecer, é exatamente o que muitos casais fazem, sem saber, todos os dias de suas vidas juntos. Esse hábito contribui para gerar ressentimentos, frustrações, apatia e o colapso de um relacionamento que, sem isso, seria positivo.

Sejam quais forem os motivos, é tentador anotar os pontos, silenciosamente ou até em voz alta, de tudo o que você faz pelo relacionamento, para facilitar a vida da sua parceira ou parceiro, e quanto sacrifício você faz em nome do relacionamento. Você pensa quantas vezes seguidas limpou a casa, ou pagou as contas, ou foi dirigindo para o trabalho, ou lavou a roupa, ou deu banho nas crianças ou qualquer outra coisa.

Talvez façamos isso por medo de não merecer o devido apreço, ou talvez por nutrir algum ressentimento pelo papel que desempenhamos ou ainda por algum motivo completamente diferente. Mas qualquer que seja esse motivo, o tiro sempre sai pela culatra.

Quando adquirimos esse hábito extremamente comum, duas coisas acontecem com certeza. Primeiro, o fato de pensar demais nas iniqüidades do seu relacionamento vai deixá-lo frustrado e estressado. Quando você fica lembrando o tempo todo do trabalho que tem, é inevitável sentir raiva do seu parceiro e, em muitos casos, seu amor e carinho diminuem. A ligação entre seus pensamentos e o que você sente é inegável. Ao pensar nos seus ressentimentos e encher sua cabeça com a sobrecarga injusta de trabalho que lhe cabe, você sente os efeitos desses pensamentos opressivos, acha que estão se aproveitando de você e fica arrasado.

Em segundo lugar, seu parceiro ou parceira sentirá seu ressentimento e irritação crescentes, o que dará a ele ou ela mais negatividade à qual se agarrar e para pensar. Ninguém quer ter a sensação de que o parceiro ou parceira fica abalado e zangado com as contribuições que está dando. Na verdade, a reação comum diante dessa descoberta é ficar na defensiva quanto ao que ele ou ela está fazendo, em comparação com o que você faz. As duas partes não arredam pé e pensam ainda mais em tudo que estão fazendo... os placares são jogados de um lado para outro! Sentimentos negativos envolvem o seu relacionamento e os dois acham que a culpa é do outro.

Quando o seu placar invadir sua mente, veja se consegue deixar esses pensamentos de lado e recuperar um sentimento carinhoso. Lembre que é mais fácil enxergar as suas contribuições e garantir os esforços do seu parceiro ou parceira. Para começar, reverta esse processo de raciocínio. Não pense no que o seu parceiro *não está* fazendo. Em vez disso, pense no que ele está fazendo. Pode acabar descobrindo que uma parte da sua frustração não corresponde à realidade, que é simplesmente um hábito mental que invadiu seu modo de pensar. Cada vez que você rejeitar os pensamentos do tipo "isso não é justo", estará contribuindo para aumentar a boa vontade no seu relacionamento. Na verdade, Kris e eu descobrimos que, no fim das contas, reduzir seu raciocínio de placar de competição ao mínimo realmente contribui mais para um relacionamento amoroso do que qualquer contribuição mais concreta que você possa estar fazendo... aquelas mesmas sobre as quais está criando caso.

Mesmo se o seu placar mental persistir, e se você estiver absolutamente convencido de que está sendo injustamente prejudicado, ainda assim é melhor continuar vigiando seu raciocínio. Fazendo isso você manterá vivo o seu amor. Lembre que é sempre mais fácil ter discussões apaixonadas ou tratar de questões mais difíceis quando seu coração está cheio de amor e de paciência. Admito que Kris e eu às vezes caímos nessa armadilha, mas felizmente é bem raro. Achamos que você vai descobrir que se conseguir cortar esse mal pela raiz, vai recuperar o amor e o respeito mútuos do seu relacionamento ou ficarão ainda mais fortes.

7
SEJA BOM PRIMEIRO (KRIS)

Acima de tudo, adote uma atitude de bondade. Transforme isso na sua prioridade absoluta e pratique todos os dias. Comece em casa, no seu relacionamento. A bondade é um dos principais ingredientes na alimentação de um sentimento de carinho entre duas pessoas. Na verdade pode ser o centro de todo o relacionamento. Ela faz tudo, desde promover a união e a proximidade quando está tudo bem, até evitar que discussões se transformem em brigas.

Ser verdadeiramente bom não significa sorrir quando não se tem vontade ou fingir alegria quando se está deprimido. É tratar seu parceiro ou parceira (e todas as pessoas) como você gostaria de ser tratado. Dizem muito por aí que na vida nós ensinamos às pessoas como nos tratar. Certamente é verdade que a melhor maneira de ensinar aos outros (inclusive nosso parceiro ou nossa parceira) que queremos ser tratados com bondade é oferecer a nossa bondade primeiro. De fato a bondade é extremamente contagiosa.

Sue, casada há vinte e cinco anos, sempre fala do marido, Rick, com um sorriso nos olhos que nos transmite a sensação de que os dois devem ser felizes juntos. Perguntei para ela qual o ingrediente principal do sucesso e felicidade de seu casamento. Sem nem mesmo parar para pensar, ela disse que está casada com "uma das pessoas mais bondosas que existe".

Por exemplo, Sue revelou ter uma tendência a ser teimosa em relação às suas opiniões. Num momento de teimosia, a capacidade de Rick de manter a calma e de ser bondoso desarma a rigidez de Sue. Em vez de se transformar numa briga pelo poder, a bondade dele ajuda os dois a terem uma perspectiva melhor da situação. Ou então, num dia ruim, Sue pode chegar em casa cansada e irritada. Em vez de reagir ao mau humor dela, Rick simplesmente lhe dá mais espaço, deixando que ela lide com seus sentimentos no seu próprio tempo. Ele está sempre presente quando ela precisa, mas não a bombardeia com perguntas ou sugestões.

É importante tratar seu parceiro ou parceira com a mesma bondade que você ofereceria ao seu melhor amigo. Você começa com as pequenas coisas, ouvindo com carinho, respeitando e tendo consideração. Ser bom significa pedir permissão, sempre que precisar, e dizer "desculpe" quando se engana ou comete um erro. Ser bom significa ser educado. Também implica tentar prever as necessidades do seu parceiro ou parceira e se questionar: "O que o deixaria feliz neste momento... há alguma coisa que eu possa fazer?" A bondade realmente está nas coisas simples.

Sou suspeita, é claro, mas vivo com uma das pessoas mais bondosas deste planeta. Richard acorda quase todos os dias com um sorriso nos olhos e uma gratidão verdadeira pela vida. Reage até aos meus piores dias de TPM com gentileza e compreensão. Por esse motivo, é difícil eu ficar muito zangada com ele por pequenas coisas como a tendência de deixar sua toalha molhada toda embolada no meu lado da cama ou por usar a minha escova de dentes por engano. Se ele não fosse tão bom, essas coisas provavelmente me deixariam louca.

Aprendemos que é fácil ser bondoso quando as coisas estão bem, e quando seu parceiro ou parceira está sendo bondoso primeiro. Mas a história é bem diferente quando as coisas não estão tão bem ou quando seu parceiro ou parceira não está sendo tão gentil. Mas é exatamente nessa hora que é mais importante praticar a bondade. Na verdade, esses são os momentos mais cruciais do seu relacionamento.

As pessoas são como espelhos umas das outras. Em geral recebemos de volta o que apresentamos. Da próxima vez que a pessoa que você ama estiver passando por um dia ruim, experimente algo um pouco diferente. Olhe nos olhos dele ou dela com um sorriso que diga "Está tudo bem" e "Eu te amo o tempo todo, mesmo quando você está deprimido ou mal-humorado". Ao agir assim é grande a probabilidade de receber um sorriso de volta. Achamos que você vai concordar que a bondade, praticada diariamente, é um dos ingredientes vitais da nutrição da sua união pela vida toda.

8

NÃO FAÇA DO SEU PARCEIRO UM SACO DE PANCADAS!

Temos de convir que a maioria de nós gosta de extravasar sentimentos ruins pelo menos de vez em quando. É uma sensação boa descarregar certas coisas do peito. E apesar desse extravasamento não ser uma coisa que defendemos como técnica terapêutica ou forma de relaxamento, temos de admitir que, às vezes, também fazemos isso. Por algum motivo, quando estamos frustrados, às vezes é bom partilhar essa frustração com alguém que amamos. E mesmo quando a sensação não é boa, há momentos em que não conseguimos evitar.

Mas existe uma enorme diferença entre uma sessão eventual na qual descarregamos nossa raiva, e transformar essa válvula de escape em parte integrante da nossa comunicação normal. Nós observamos que nos relacionamentos em que uma pessoa "explode" regularmente, a outra costuma dizer que se sente como um saco de pancadas!

Um dos problemas de extravasar nossa raiva é que o suprimento de material sobre o qual podemos expressar essa frustração é infinito. Em outras palavras, haverá sempre coisas que nos aborrecem se nos concentrarmos nessa direção. Portanto, se você associa "sentir-se melhor" com abrir a válvula de escape quando estiver conversando com seu parceiro ou parceira, isso pode "pegar" e acabar se transformando num hábito. Naturalmente você vai supor que quanto mais melhor.

É fácil compreender por que o participante que está ouvindo uma sessão de extravasamento pode começar a se sentir como um saco de pancadas, especialmente depois de algum tempo.

Imagine só que você está meio cansada no fim do dia. Está relativamente tranqüila e de bem com a vida. Quando pega um livro e se prepara para ler um pouco antes do jantar, seu companheiro entra na sala e começa a reclamar do dia que teve.

Você ama seu parceiro e é claro que deseja apoiá-lo. Larga seu livro e começa a prestar atenção no que ele diz. Nos próximos dez minutos seu humor sofre uma enorme mudança. Fica sabendo de muitas coisas horríveis, é lembrada das mazelas do mundo e de como a vida pode ser injusta e difícil. Os argumentos dele são tão convincentes que você já começa a acreditar. Ai, lá vai ele de novo. Ele conta alguma fofoca negativa e dá vários exemplos de ganância. Nesse momento parece que seu parceiro, que Deus o abençoe, detesta a vida dele. Ele contou para você das doze pessoas que o prejudicaram e das outras quatro que provocaram sua fúria.

Nesse exemplo "o autor do desabafo" provavelmente estava apenas de mau humor e sentindo pena dele mesmo. O que deve acontecer é que no dia seguinte ele verá as coisas de um modo diferente. E certamente, se a ouvinte sabia disso, baseada no que já conhecia dele, provavelmente não devia se preocupar demais com isso. Ela podia apenas ouvir e ser a mais compreensiva possível.

Por outro lado, é difícil ter sempre o discernimento necessário para não ser puxado para baixo com o desabafo de outra pessoa, especialmente quando for exagerado. Por isso, apesar de alguma válvula de escape ser talvez inevitável, há também um pouco de egoísmo envolvido nisso. Ou seja, quando descarregamos sentimentos negativos, pode ser que outra pessoa pague por isso. Então talvez seja melhor simplesmente ter consciência de até que ponto se pode desabafar e a partir de que ponto é um exagero.

Mais uma vez não queremos dizer que desabafar nunca é uma boa idéia, especialmente em pequenas doses. Mas é uma boa idéia manter esses desabafos sob controle. Fazendo isso você estará evitando que seu parceiro ou parceira se sinta como um saco de pancadas.

9

PERGUNTE SEMPRE: "AFINAL, DE QUEM É ESSA MANIA?" (KRIS)

Em geral o que nos enlouquece não é aquele tipo de coisas que acontecem quando duas pessoas moram juntas, lavar-a-pasta-de-dentes-que-fica-na-pia, abaixar-a-tábua-da-privada? É engraçado, mas você pode amar alguém profundamente e mesmo assim ficar facilmente irritada com o simples fato de dividir o espaço com essa pessoa. Se as mesmas coisas incomodam você o tempo todo, antes de transformá-las em coisas sérias, é útil fazer a seguinte pergunta: "Afinal, de quem é essa mania?"

Durante muitos anos era parte do meu ritual matinal pegar no armário de roupa de cama e banho uma toalha limpa e colorida e me preparar para o banho de chuveiro. Mas todos os dias Richard entrava no chuveiro primeiro. Quando eu ia tomar banho estendia a mão e descobria que a minha toalha limpinha tinha sumido. Quase todas as manhãs eu acabava correndo pela casa, toda molhada, para pegar outra toalha. Depois de algum tempo, perdi a esportiva!

Certo dia, quando estava indo até o armário para pegar a

minha toalha, comecei a sentir raiva, antes mesmo de entrar no chuveiro, já prevendo que a minha toalha limpa logo seria usada, mais uma vez, pelo meu marido. Mas por algum motivo misterioso, naquela manhã fui abençoada por uma mudança de atitude. Pensei um pouco naquilo e fiz as perguntas óbvias: "Bom, se posso pegar uma toalha, por que não pegar duas? De quem é essa mania, afinal?"

De um certo ponto de vista o cenário era realmente engraçado. Eu estava à beira de uma crise emocional, enquanto Richard nem sabia da minha frustração. O tempo todo ele pensava que estava casado com uma mulher muito carinhosa, que sempre punha uma toalha nova para ele no banheiro.

A natureza das manias pode se manifestar de diversas formas. Ouvi a história de um casal, por exemplo, em que a mulher apenas gosta de limpeza e o marido é obcecado por limpeza e organização. Quero dizer *realmente* fanático. Uma noite a mulher do David deixou um pedaço de alface na pia depois de lavar os pratos. Ele parou diante da pia e berrou a plenos pulmões: "Pamela, quer vir aqui e terminar de limpar essa sujeira na cozinha?"

Ora, de quem é essa mania, afinal? Claro que é dele.

Refletir sobre esse assunto pode ser uma experiência incrivelmente libertadora se as pessoas puderem ver o que está realmente acontecendo. Por exemplo, nesse caso, se David pudesse enxergar que ele é o neurótico, que é ele que tem essa mania, ele poderia rir dele mesmo e parar de fazer tantas cobranças à mulher. Por outro lado, se Pamela conseguisse compreender a mania de David, e considerá-la problema dele, ela poderia ignorar ou simplesmente revirar os olhos e não levar para o lado pessoal.

Na questão dos aborrecimentos menores do dia-a-dia, não esqueça que todos temos as nossas pequenas manias. Como no meu exemplo, considere a possibilidade de que talvez não seja o que seu parceiro está fazendo (ou deixando de fazer) que incomoda você, e sim o que você está fazendo (ou deixando de fazer). Ou então, no caso do David, você pode simplesmente ter expectativas exageradas em relação a alguma coisa.

Muitas vezes, se você parar um momento e refletir sobre a situação, com honestidade e certa humildade, poderá ver uma solução óbvia ou encarar a situação de um modo diferente. Por isso, quando se sentir irritada, procure fazer essa pergunta: "Afinal, de quem é essa mania?" Pelo menos algumas vezes a resposta será: "É minha."

10

CONVERSE COM ELE DO JEITO DELE

John Gray apresenta um bom argumento em seus livros *Homens são de Marte, mulheres são de Vênus* sobre homens e mulheres serem diferentes. Na verdade não existem duas pessoas iguais, e todos nós vemos o mundo através da nossa visão particular. Todos filtramos as informações mediante seletores exclusivos determinados pela nossa história pessoal e pelo nosso modo de encarar o mundo. É importante compreender a realidade do seu parceiro para haver uma comunicação eficiente com ele ou, a propósito, para ter a chance de viver um relacionamento amoroso duradouro.

Conhecemos um casal formado por pessoas completamente opostas. Joanne é muito intuitiva e criativa, epítome do raciocínio emocional, que usa o lado direito do cérebro. Ela consegue tomar decisões instantâneas e brilhantes baseada unicamente na sua intuição e criatividade. Já Ray é do tipo A, cem por cento lado esquerdo do cérebro, com raciocínio analítico. Ray é o perfeito advogado do diabo. Para ele tudo tem de ter um sentido lógico, senão não vale. Se ele discorda de alguma coisa, imediatamente começa a pensar em todos os motivos de aquilo não fazer o menor sentido.

Quando se conheceram, o caso deles foi exatamente o de que opostos definitivamente se atraem. Ray adorava a espontaneidade de Joanne e a sua disposição e capacidade de curtir o momento. Ele achava que precisava estar com alguém menos agressiva e mais carinhosa que ele. Portanto, Joanne era exatamente o que o médico receitava. Da mesma forma, quando se apaixonou por Ray, Joanne adorou sua natureza intelectual e vigorosa. Ficou impressionada com a disposição que ele tinha de trabalhar nos fins de semana, de passar noites em claro, de ficar horas analisando problemas, porque eram coisas que nunca tinha sido capaz de fazer. Ela sentia que certamente iam se complementar e viver felizes para sempre!

Mas com o passar dos anos, as diferenças dos dois começaram a minar a união amorosa. Ray foi ficando distante e frustrado porque depois que a novidade acabou e os conflitos da vida real apareceram, ele simplesmente não conseguia entender o processo emocional de Joanne de tomar decisões. Ela tomava decisões que, do ponto de vista dele, não eram "racionalizadas". Isso o deixava muito frustrado.

Da mesma forma Joanne foi ficando deprimida por jamais se sentir capaz de competir com o estilo metódico e agressivo de comunicação de Ray. Ray tinha sido o capitão da sua equipe de debates no colégio, e Joanne muitas vezes saía das reuniões se sentindo arrasada e desanimada, como se fosse um dos seus oponentes inferiores.

Por sorte, Joanne teve um momento de clareza. Descobriu um modo de criar algum poder para ela mesma e ao mesmo tempo reforçar a comunicação dos dois. Ela percebeu que o casamento deles estaria condenado se não descobrisse uma forma de conversar com Ray, do jeito dele... de um modo que ele realmente entendesse. Por isso, hoje, quando surge uma situação em que ela tem certeza de que haverá conflito ou se ela deseja conversar sobre um assunto constrangedor ou difícil, Joanne aprendeu a expor todos os seus argumentos e defendê-los de forma linear e organizada (até onde ela é capaz de fazer isso). Ela sabe que essa é a única maneira possível de Ray ouvir o que ela tem a dizer. Mas é importante saber que Joanne não chegou a essa conclusão por meio de uma idéia de rendição, e sim pela sabedoria, como um meio de levar seu relacionamento a um novo nível de companheirismo. Nós aprendemos que conversar com seu parceiro ou parceira do jeito dele ou dela praticamente garante uma comunicação melhor.

Os resultados foram espetaculares. Ray pode nem sempre concordar com o ponto de vista de Joanne, mas ele ficou menos crítico e passou a reagir menos, e tornou-se um ouvinte muito melhor. Ele consegue processar a informação de uma forma mais profissional, como está acostumado a raciocinar. Até demonstrou uma certa disposição de tentar conversar com Joanne de um modo que a deixe mais à vontade.

Além disso, Joanne agora se sente preparada para enfrentar as perguntas dele sem parecer emotiva demais. Ela ficou mais animada porque ele parece mais disposto a ouvir.

Não estamos defendendo a posição de que todos os homens são mais lineares no modo de pensar ou que as mulheres são sempre mais emocionais. Não, todos somos diferentes nos nossos modos de pensar. Saber isso pode lhe dar o poder de modificar a dinâmica do seu relacionamento para sempre. Lembre que a sua realidade não é *a* realidade... é apenas a sua. Descobrir uma maneira de compreender o seu parceiro ou parceira é uma atitude sábia.

11

EVITE DIZER "EU TE AMO, MAS..."

Não há dúvida de que as três palavras mais belas e mais desejadas de qualquer língua são "eu te amo". Sozinhas podem provocar sentimentos de carinho e união. No entanto, você pode praticamente destruir a beleza e também grande parte do impacto positivo dessas palavras maravilhosas simplesmente acrescentando a preposição "mas" no fim da frase. Fazer isso transforma uma afirmação de inocência e respeito em um sermão egocêntrico e manipulador.

Kris foi a primeira mulher a me ensinar essa lição tão importante. Anos atrás, logo depois que nos apaixonamos, ela olhou nos meus olhos e perguntou: "Você se deu conta de que afirmou duas vezes que me ama nos últimos cinco minutos?" Na época eu nem sabia o que ela queria dizer com isso. E então ela explicou que, apesar de apreciar o fato de eu gostar de dizer que a amava, a verdade era que minhas palavras pareciam bem menos verdadeiras quando vinham associadas a uma condição. Eu tinha dito para ela "Eu te amo, MAS quero que pare de me fazer esperar" e "Eu te amo, MAS me incomoda quando você conclui que vou querer fazer alguma coisa a respeito dos seus amigos". Mais tarde ela me disse que tinha tocado naquele assunto porque estava se tornando um hábito, e esperava poder cortá-lo pela raiz.

A primeira vez que ela chamou minha atenção para isso, eu fiquei na defensiva. Mas desde então aprendi que não havia necessidade disso. Kris não estava afirmando que era isenta de críticas ou que eu não tinha a liberdade de discutir assuntos que me incomodavam. Ao contrário, ela sempre estimulou isso (e estimula até hoje). O que ela estava me pedindo para fazer era separar meus "eu te amo" de quaisquer conflitos que tivesse com ela. Estava corretamente chamando minha atenção para o fato de que apesar das duas pontas do espectro (a expressão de amor e a liberdade de discutir qualquer questão) serem importantes num relacionamento sincero e amoroso, uma coisa não tinha nada a ver com a outra.

Pensei nisso e vi que tinha sentido. Quando examinamos a intenção da conjunção "mas" depois das palavras "eu te amo", fica claro que você só pode estar associando as duas coisas para fazer com que seu controle ou reclamação pareça mais razoável. Em vez de ter a coragem de simplesmente levantar as questões que me preocupavam, eu estava garantindo que, antes de mais nada, eu parecesse um bom sujeito. De certa forma era como se eu dissesse: "Sou um cara muito legal, paciente e tolerante, que realmente ama você. E agora que isso tudo já está estabelecido, vou dizer o que quero que você mude para ficar ainda mais adorável aos meus olhos."

Se isso não é grotesco, o que é então? Tem "segundas intenções" do começo ao fim!

Desde aquela época ouvi esse "apêndice" centenas, talvez até milhares de vezes. Muitas vezes, como foi o meu caso, ele é usado diretamente de uma pessoa para o seu companheiro ou companheira. E muitas vezes também é de segunda mão. Por exemplo, ontem mesmo estava conversando com uma mulher ao telefone e ela disse: "Eu realmente amo o Kurt, MAS não suporto quando ele me interrompe."

Essa é uma idéia muito simples que rende enormes dividendos. A idéia, como Kris me ensinou inicialmente, é evitar associar sua frase carinhosa com as coisas que o incomodam. Quando sentir que ama sua parceira, diga para ela. Da mesma forma, quando alguma coisa o aborrece, partilhe isso também. Só não faça as duas coisas ao mesmo tempo. Se você é parecido comigo, logo vai descobrir que tanto os cumprimentos quanto as preocupações serão levados mais a sério.

12

PROCURE ENRIQUECER SUA VIDA COM OPORTUNIDADES DE EXPRESSAR AMOR

Em todos esses anos as pessoas demonstraram seu desejo de estar "apaixonadas". E certamente compreendemos a necessidade e o desejo de ter uma relação amorosa, mas é importante saber que há muitas maneiras genuínas e poderosas, diferentes de um relacionamento romântico, de enriquecer sua vida com amor.

Nós ouvimos uma história bonita e tocante de uma amiga de uma amiga nossa. Como muita gente, ela sentia solidão. Sua vida era vazia, como se não pudesse ser completa sem alguém com quem dividir. As amigas, é claro, ofereciam toda sorte de conselhos bem-intencionados. Procuravam animá-la, diziam que tinha de sair mais, indicavam clubes, cursos e outras formas tradicionais de conhecer pessoas solteiras. Nada funcionava.

Então alguém sugeriu que ela fizesse algum trabalho voluntário. Por muitos motivos a idéia surtiu efeito, por isso ela começou a trabalhar num asilo. Esse simples ato de amor funcionou como catalisador para modificar a vida dela. Para encurtar a história, ela "se apaixonou" (metaforicamente) por uma mulher adorável com mais de noventa anos de idade. A experiência de partilhar e de dar amor abriu seu coração de uma forma que ela nunca havia imaginado. Ela se sentia valorizada e honrada. Seu coração se abriu e ela começou a exalar amor em todos os aspectos da vida. Ficou mais feliz, mais tranqüila e realizada do que antes. Ela expandiu sua definição de amor.

O sentimento do amor é contagioso. Quando seu coração está aberto e você está ocupada partilhando seu amor com os outros, você atrai mais amor de todos os tipos.

Em pouco tempo essa mulher se viu envolvida com um homem que conhecia havia muito tempo, que era seu amigo. Apesar de ser difícil avaliar, não havia dúvida de que a presença dela tinha se modificado graças ao amor que cultivou em seu coração.

O amor romântico, uma união amorosa, o casamento, tudo isso é maravilhoso. Mas a verdade é que há inúmeras maneiras de expressar e de receber amor. Você pode fazer isso com animais de estimação, com trabalho voluntário, com a natureza, uma boa causa, até com passatempos. Qualquer coisa de que você goste, que sirva de estímulo para o seu espírito na forma de amor, que faz com que você partilhe seu amor, possui o potencial de encher seu coração de amor. Uma das épocas mais amorosas da minha vida foi quando estava no colégio. Fazia um trabalho voluntário de "irmão mais velho" para a organização Big Brothers of America. A experiência mudou a minha vida. Pude passar um tempo com um menininho maravilhoso que, na época, tinha apenas seis anos. Acho que não foi coincidência ter conhecido Kris logo depois disso.

Quando enriquecemos nossa vida com sentimentos de amor, sejam eles dirigidos a pessoas, animais, a Deus, à natureza ou simplesmente o amor pela vida, passamos a atrair amor. Quando nosso coração está cheio de amor e partilhamos esse amor, ficamos mais bondosos, mais gentis e mais pacientes. Nossa perspectiva se aprimora e ficamos mais satisfeitos.

Em geral, quando só queremos ser amados, é fácil esquecer como é maravilhoso dar amor. No entanto, quando descobrimos novas maneiras de partilhar nosso amor, uma transformação quase mágica acontece em nossas vidas. Ficamos mais interessados nos outros, mais solidários e mais sábios. Parece até uma lei da natureza – quanto mais formas descobrirmos de expressar, partilhar e dar carinho, mais nos vemos cercados de sentimentos de amor.

Ter um relacionamento romântico ou não, querer ter um ou não, isso não é essencial. Seja qual for a sua situação, seus sonhos ou preferências, enriquecer sua vida com muitas oportunidades de expressar seu amor é sempre uma boa idéia.

13
PROCURE AS DÁDIVAS

A mente humana é surpreendente. Não importa o que está procurando, a tendência é achar. Por isso, se você procura feiúra, não terá problema algum para encontrar. Se procura crueldade, também encontrará muitas provas disso. E se está procurando a beleza, vai encontrá-la também.

Sem dúvida, uma das formas mais eficientes de se tornar imune às frustrações habituais de um relacionamento, além de uma das melhores maneiras de manter seu relacionamento leve e vibrante, é utilizar essa dinâmica mental previsível como ferramenta para procurar e identificar as dádivas que muitas vezes aparecem bem disfarçadas de conflitos ou emergências. Essa é uma maneira prática de manter seu coração aberto e de crescer, em vez de ficar frustrado, com a vida diária.

Existem inúmeros exemplos de como utilizar essa estratégia para aprimorar o seu relacionamento, mesmo em circunstâncias que normalmente pareceriam dolorosas ou motivo de alarme. Eis apenas alguns:

Vamos supor que o seu parceiro esteja paquerando uma bela desconhecida. Que dádiva poderia ser encontrada numa coisa como essa? Você poderia, é claro, usar isso como desculpa para ter uma crise de ciúmes e partir para um confronto com seu companheiro. De qualquer modo, seu relacionamento provavelmente sofreria até um certo ponto. Mas encarado como uma dádiva, o fato pode ser considerado um "despertador", um sinal de que você precisa ser mais atenta e carinhosa, uma dádiva que pode transformar ou até salvar o seu relacionamento.

Imagine que a sua mulher recebe uma oferta de emprego em outra cidade do país. Isso poderia representar um conflito sério, até uma tragédia. Se você se concentrar nesse aspecto da coisa e expressar essa posição, provavelmente vai se sentir mal ou ser considerado um marido que não sabe apoiar a mulher. Mas se você estiver procurando uma dádiva, o fato pode ser encarado como a chance ideal de demonstrar que sabe dar apoio ou pode também ser uma oportunidade de iniciar uma nova aventura juntos.

Um casal que estava casado havia vinte anos veio falar comigo depois de uma palestra que eu dei. Com a mulher ao lado, sorrindo, o marido me contou que tinha sofrido um acidente que provavelmente o deixaria impotente pelo resto da vida. Ele prosseguiu explicando que isso acabou se transformando numa das coisas mais importantes que aconteceram na vida dele. Antes de se machucar ele só pensava em sua ambição profissional, ao ponto de quase não se comunicar mais. Os dois estavam se afastando, a única intimidade que tinham era na cama, de vez em quando, e sequer era suficientemente estimulante para segurar o casamento de vinte anos. Com o acidente, ele foi forçado (os dois, aliás) a aprender novas formas de sentir e de expressar intimidade. Depois de vinte anos, os dois finalmente aprenderam a ser amigos. Sua mulher declarou que ele se revelou "um dos homens mais bondosos do mundo". É claro que foi um sacrifício, e exigiu adaptações, mas segundo ela: "O acidente acabou sendo uma dádiva disfarçada."

Se existe gente suficientemente sábia e versátil para ver uma dádiva em algo aparentemente tão doloroso, então o resto de nós deve ser capaz de descobrir dádivas na maior parte de nossas experiências corriqueiras mais comuns. A verdade é que podemos sim, quando a nossa intenção é essa.

Se você procurar dádivas em qualquer situação, quase sempre encontrará algo positivo para se concentrar. Quando isso se transformar na sua forma normal de ver as coisas, você descobrirá que é quase impossível ficar muito aborrecido com o que acontece no seu dia-a-dia, especialmente com os "copos d'água".

14
MARQUE O SEU CALENDÁRIO (KRIS)

Vamos encarar os fatos: a tensão pré-menstrual, ou TPM, é real. Eu sei, porque todo mês, desde a adolescência (menos quando estava grávida), tive isso. E é bem provável que você, se for mulher, também tenha. É uma dessas coisas inevitáveis do fato de ser mulher.

Com os anos aprendi que quando meus pensamentos começam a ficar um pouco doidos, ou quando fico num estado meio melancólico, dou uma olhada no meu calendário e, vejam só, costuma ser uma semana antes da minha menstruação. Acontecimentos comuns, de todo dia, que costumamos tirar de letra, subitamente ficam muito irritantes ou parecem emergências.

Como se não bastasse você ter de passar pela TPM, o seu companheiro também tem de dividir essa experiência com você. Praticamente todos os meses, nos primeiros dez anos do nosso relacionamento, Richard me perguntava, carinhosamente: "Kris, qual é o problema?" Finalmente, um dia, no meio da minha TPM, eu gritei: "Por favor, dê uma olhada no seu calendário! Não há problema algum!"

É importante que as mulheres não usem a TPM como uma desculpa constante para ter ataques ou manter um comportamento irracional. Por outro lado, ajuda conhecer seus sintomas e compreender que o que você está sentindo, devido à tensão pré-menstrual, faz tudo parecer pior do que realmente é. As coisas pequenas se transformam em coisas enormes e é fácil fazer tempestade em copo d'água!

Entender isso vai ajudá-la a fazer certas concessões ao modo que está se sentindo. Você pode começar a compreender que apesar da urgência e da frustração que sente, as coisas não são tão ruins como parecem ser. A TPM pode parecer a pior forma de mau humor. E como acontece com qualquer mau humor, o melhor que você pode fazer, em geral, é entender que "isso também vai passar".

Partilhar essa informação com seu parceiro pode ajudá-lo a entender esses estados previsíveis e com data marcada que você enfrenta. Vai achar muito útil se vocês dois guardarem na memória ou marcarem num calendário. O ideal é que os dois cedam um pouco nesses momentos complicados e por mais difícil que possa parecer, procurem ser mais compassivos e pacientes.

Marcar o meu calendário ajuda a suavizar minhas explosões e ajuda Richard a entender e a ser compassivo quando digo alguma coisa meio brusca ou quando meu pavio fica mais curto que de costume. Encaro a parte da TPM do meu ciclo como uma nuvem baixa (às vezes de tempestade) que passa. Aprendi que é importante manter a sua perspectiva da vida nessas horas. Com a perspectiva em forma e com consciência, você entende que, apesar da aparência e da sensação que provoca, a vida não ficou uma loucura de repente. Isso a faz lembrar que sua capacidade de lidar com o estresse logo voltará ao normal.

15
COMPARTILHE UMA DESCOBERTA

Uma maneira muito eficaz de aprender a não fazer mais tempestade em copo d'água é partilhar experiências com o outro. Você pode partilhar com a sua parceira um momento em que reagiu com educação, em vez de hostilidade, a alguma coisa que normalmente o deixaria irritado. Ou então você pode partilhar uma descoberta que teve em relação a uma certa maneira de tornar sua vida menos estressante ou um jeito novo de encarar um problema ou uma frustração.

Esse processo é muito poderoso porque faz com que você dê mais ênfase e preste mais atenção ao que funciona bem no seu relacionamento e na sua vida, o que dá certo, o que vocês têm para agradecer e o que não os incomoda, esses e outros fatores que impedem as tempestades em copos d'água. Isso também traz à tona as idéias e dicas de como cada um de vocês pode relaxar e amar mais.

Jennifer tinha passado a maior parte da vida "agarrada" a coisas que a incomodavam. Normalmente, quando alguém fazia uma coisa de que ela não gostava, ela se ressentia ou guardava rancor daquela pessoa por muito tempo. Às vezes isso contribuía para criar uma fama de pessoa amarga e exigente.

Mas certo dia isso tudo começou a mudar. Alguém no trabalho tinha merecido o crédito por uma idéia que ela havia desenvolvido. Para piorar as coisas, essa colega, além de roubar sua idéia, recebeu um projeto especial como reconhecimento pela "idéia criativa".

Mesmo se quisesse, Jennifer não podia fazer nada, pois não existia uma forma realista de provar a injustiça. Por um tempo ela cedeu ao velho hábito e ficou furiosa. Travou uma guerra mental com a colega, imaginando como podia retaliar.

Então ela fez uma descoberta. Percebeu que os seus pensamentos estavam tornando as coisas piores do que realmente eram, e que estava dando mais importância ao fato do que ele merecia. Resolveu que estava cansada de sentir raiva e ressentimentos, e que finalmente estava pronta para tentar algo diferente. Há muito tempo Jennifer queria ser feliz. Andava lendo a respeito do poder do perdão e compreendeu isso num nível intelectual. Mas até essa experiência, não tinha sido capaz de pôr a capacidade de perdoar em prática. Dada a natureza evidente da situação, ela resolveu que era a oportunidade perfeita para experimentar.

Ela resolveu perdoar e, assim que fez isso, seu coração começou a se abrir. Começou a relaxar o suficiente para aceitar melhor a situação e deixar para lá o ressentimento. Ela entendeu que na maior parte do tempo as pessoas eram honestas e não roubavam suas idéias, nem dos outros. Além disso, ela chegou à conclusão de que a pessoa que roubou sua idéia não precisava de ódio, e sim de compaixão.

Jennifer partilhou essa descoberta do perdão com o namorado, Steve. Ele ficou tão impressionado com a capacidade de Jennifer de abrir o coração numa situação difícil como aquela, que foi como se uma porta se abrisse para um tipo completamente novo de comunicação entre os dois. Steve estudava a espiritualidade havia algum tempo e era uma pessoa relativamente fácil de se conviver. Ele só hesitava em assumir um compromisso mais sério com Jennifer porque se preocupava justamente com a sua tendência de guardar rancor. Ficava sempre imaginando se ela um dia conseguiria livrar-se desse mau hábito.

O novo nível de profundidade na comunicação do casal e no relacionamento foi impressionante. Levou a outras situações em que Jennifer conseguiu optar pelo perdão em vez do ressentimento. O crescimento de Jennifer foi tão dramático que gerou descobertas para Steve também. O sucesso foi se reciclando sozinho e aprofundou o relacionamento deles.

Essa história tem um final feliz. Pouco tempo depois eles ficaram noivos e acabaram se casando. Apesar de os fatores que criam uma união permanente serem muitos, é claro, tanto Jennifer quanto Steve atribuem o sucesso do relacionamento deles àquele incidente específico, quando compartilharam uma descoberta.

O bom dessas descobertas é que elas tendem a se alimentarem umas com as outras, especialmente quando partilhadas com alguém que amamos. Isso nos faz pensar nas coisas boas que podem estar guardadas para nós se resolvermos partilhar nossas descobertas com nosso parceiro ou parceira.

16
FIQUE LONGE DOS ULTIMATOS

Uma vez fiz uma pesquisa e perguntei para cem pessoas se elas gostavam de receber um ultimato. Noventa e cinco pessoas disseram que não. As outras cinco responderam com variações do mesmo tema: "Você deve estar brincando." Quando fiz a mesma pesquisa pela segunda vez, reformulei a pergunta. Dessa vez foi: "Você é capaz de imaginar uma situação em que gostaria de receber um ultimato se houvesse quaisquer outras opções?" Uma pergunta ligeiramente diferente... exatamente as mesmas respostas. Nunca encontrei alguém que gostasse de ultimatos. Você já? No entanto, muita gente utiliza essa forma de manipulação regularmente para conseguir o que quer. De acordo com a minha experiência, de uma forma ou de outra, esse tiro quase sempre sai pela culatra.

Não quero dizer que não existam situações em que você não tenha praticamente nenhuma opção, que tem de dar um ultimato a alguém. Por exemplo: "Você deve chegar na hora certa, senão vai perder seu emprego." É um caso diferente.

Mas aqui estamos dizendo que, nos relacionamentos, os ultimatos raramente são bem recebidos.

Há muitos bons motivos para ficar longe de ultimatos. Primeiro, que os ultimatos encostam as pessoas na parede, limitam e distorcem suas opções. Uma sensação de pressão antipática e agressiva se soma a uma decisão que já é difícil, e isso parece criar uma repulsa quase universal.

Segundo, que mesmo que a pessoa que está impondo o ultimato acabe conseguindo o que quer, em geral passa a ser alvo de ressentimentos e de retaliações por aqueles que receberam o ultimato. Por exemplo, Jean diz para Robert: "Se você não concordar em comparecer à reunião da minha família, não falo mais com você por uma semana e pode esquecer de pegar meu carro emprestado." Robert pode acabar indo à reunião, mas ficará ressentido a viagem toda e alimentará pensamentos negativos em relação a Jean por muito tempo. Ele pode descobrir maneiras de "vingar-se dela" e pode até perder o respeito que tem por ela, por tê-lo encurralado.

Jean poderia pedir isso de um modo talvez mais eficiente dizendo: "Eu gostaria muito que você estivesse lá comigo. Detesto pressioná-lo desse jeito, mas tenho de admitir que ficarei muito desapontada se você não for."

Nem sempre, mas com bastante freqüência, um ultimato nasce do medo de não conseguir o que você quer sem ele. Por isso, movido pelo desespero, você exige, acrescentando uma conseqüência séria, esperando que assim funcione. O problema é que você está afastando a pessoa de você, muito mais do que a forçando a fazer o que você quer.

Um homem que conheci, cujo nome era Roger, era apaixonado pela namorada, Ann. Ele realmente queria se casar e Ann também pretendia isso, mas ainda não estava preparada. Ele lhe deu aquele ultimato comum: "Case-se comigo ou terminamos tudo." Você conhece o fim dessa história. Anos mais tarde Roger continuava aborrecido porque Ann não tinha se casado com ele, enquanto ela estava feliz da vida, casada com outro, com dois lindos filhos. A parte triste dessa história é que se Roger simplesmente tivesse tido mais paciência e fosse mais carinhoso, Ann provavelmente estaria pronta para o casamento depois de um certo tempo. Mesmo se resolvesse não se casar com Roger, ele estaria melhor, pois ela teria terminado o namoro com mais respeito e melhores lembranças para ele. Do jeito que a coisa foi feita, no entanto, ela não suportou a pressão e foi embora com uma sensação de desprezo.

Conforme mencionei acima, existem certas situações em que a pessoa não tem escolha, precisa dar um ultimato. Por exemplo, se você realmente quiser casar e formar uma família, e a sua parceira, mesmo depois de anos juntos, simplesmente não aceita se comprometer. Nesse tipo de situação provavelmente é necessário. Mas se você tiver de fazer isso, pelo menos explique para a sua parceira que preferia não fazer. Reconheça que você compreende que ninguém gosta de ultimatos.

O ponto mais importante aqui é simplesmente entender que é melhor evitar ultimatos, sempre que possível. Você talvez acabe recebendo mais do que quer, de qualquer maneira, e sem dúvida, seu relacionamento terá uma base bem mais sólida. Por isso pare de dar ultimatos... senão...

17

DÊ UM TEMPO PARA AS TRANSIÇÕES

Há muitos períodos de transição num relacionamento longo. Em geral são provocados pelas "coisas importantes" que acontecem com você. Como o compromisso de um novo casamento, gravidez e a chegada de um filho na sua vida, mudar de casa ou de cidade, mudança de emprego, a morte de um ente querido, aposentadoria, ou um ninho vazio (saída dos filhos de casa). Essas e outras mudanças importantes representam desafios para os seus relacionamentos. Nós descobrimos que a melhor maneira de passar por essas transições é concedendo a elas bastante tempo. Quando você parte do princípio que uma transição vai demorar, tira o sentido de urgência, e grande parte da frustração desse cenário. Você ganha tempo para se adaptar e se estabelecer.

A soma de um filho à sua família é, por exemplo, uma das maiores mudanças que qualquer casal tem de enfrentar. Muitos relacionamentos não estão preparados para a adaptação emocional que a chegada de um filho representa na vida do casal.

Os pais costumam separar o tempo A.F. (antes dos filhos) e D.F. (depois dos filhos). Uma coisa é certa nesse caso: você não vai entender direito o que dizem até passar por isso. O mesmo se aplica, é claro, a todas as transições importantes. É impossível alguém entender a dificuldade que é mudar para uma outra cidade onde você não conhece ninguém, a menos que já tenha passado por isso.

Trazer para casa um bebê recém-nascido é, sem dúvida, um dos momentos mais mágicos da sua vida. Mas representa muitos desafios novos. O estresse da falta de sono e a adaptação às exigências físicas de cuidar dessa pessoinha podem ser uma prova de fogo para os casais mais bem estruturados. Além disso, é uma época difícil para a maioria dos homens. Alguns podem se realizar observando a mulher cuidando de outro ser, outros podem se sentir isolados e rejeitados durante o primeiro ano.

Quando olhamos para trás, fica claro que um dos motivos de termos passado tão bem por esse período da vida foi que assumimos um compromisso, juntos, de dar bastante tempo para essa transição. Concordamos que não esperaríamos que nossas vidas continuassem do mesmo jeito, e resolvemos evitar comparar a vida atual ao que era antes. Essa decisão provou ser muito confortante e útil. À medida que novos acontecimentos iam surgindo nós conseguimos, em grande parte, aceitar e compreendê-los, em vez de ficar frustrados com a falta de familiaridade.

Partilhamos essa filosofia com muitos casais jovens que queriam ter filhos. Quase todos disseram que foi muito útil.

Descobrimos que essa mesma idéia se aplica a praticamente todos os períodos de transição. Dois dos nossos amigos mais queridos foram transferidos para outra localidade. Tinham um filho pequeno e estavam preocupados com a mudança. Não conheciam a nova cidade e no início não teriam amigos. Mas em vez de ficarem desanimados ou assustados, eles resolveram adotar a filosofia de dar um tempo para aquela transição. E para felicidade deles, funcionou às mil maravilhas. Eles não esperaram que a vida deles fosse na mesma hora tão gratificante quanto era antes e criaram uma contagem de tempo artificial para a transição. Resolveram não esperar estar instalados em menos do que um ano. Então, a cada nova amizade que faziam e a cada experiência positiva que tinham, eles ficavam muito felizes e agradecidos. Adotaram suavemente a nova vida e agora estão mais felizes do que antes.

As transições são como quebra-molas nas estradas. Você precisa ir mais devagar quando se aproximar deles. Em vez de esperar que sua vida continue igual, ou de tentar recriar a vida que já conhece bem, procure estar aberto e aceitar as mudanças. Se em vez de entrar em pânico você der bastante tempo para as suas transições, vai acertar com graça o próximo passo do processo, como um dançarino.

18

SÓ BRIGUE QUANDO O HUMOR ESTIVER CERTO

Humores, estados de espírito, são coisas engraçadas. Por um lado, quando você está de bom humor, se sentindo bem, a vida parece ótima. E geralmente seu relacionamento também parece muito bom. Você se sente seguro, carinhoso e satisfeito. Tende a pensar nos aspectos bons do seu relacionamento. Está seguro e tem senso de humor. Você entende que, apesar de nenhum relacionamento ser perfeito ou livre de problemas, você tem sorte de estar com a pessoa que ama. Acha as qualidades dele ou dela charmosas e adoráveis, e os inevitáveis defeitos são relativamente insignificantes. Considera até as manias como provas de que seu parceiro ou parceira, como você, é um indivíduo único e, acima de tudo, que vocês têm sorte de ter um ao outro. Você acha fácil assumir compromissos e perdoar, e deixa passar as coisas menos importantes do dia-a-dia rapidamente, sem pensar muito a respeito. Não sente que tem de ficar na defensiva e, na verdade, chega até a ver qual é a sua contribuição para os problemas que podem estar tendo. Você se lembra dos bons tempos e espera animado um futuro brilhante.

Por outro lado, quando seu humor não está bom e você fica rabugento, agitado e estressado, sua vida parece drasticamente diferente – especialmente seus relacionamentos. De repente você se sente insatisfeito, como se faltasse alguma coisa. Pequenos aborrecimentos parecem que são a ponta do *iceberg* de algo muito mais significativo. Em vez de esquecer as coisas, deixar para lá, você começa a analisar seus problemas. Pensa mais nos aspectos que não estão bem no seu relacionamento, e perde seu sentido de gratidão. Na verdade, você fica muito exigente e começa a dar menos valor ao seu parceiro ou parceira. Perde a sua capacidade de enxergar o seu papel nos problemas de comunicação ou quaisquer outros que possam estar tendo. Parece que tudo é culpa dele ou dela. A força do seu parceiro parece desaparecer e os defeitos se destacam de modo dramático. Em vez de fazer concessões, você fica obstinado e na defensiva. Lembra-se dos maus momentos e seu futuro parece um desastre!

Se você se distanciar um pouco e pensar no assunto, os humores são mesmo bizarros. Afinal de contas, a vida é exatamente a mesma... e a parceira também é a mesma! A mesma pessoa, com a mesma história, personalidade, pontos fortes e pontos fracos. A pessoa está com a mesma aparência, tem as mesmas manias, hábitos, a mesma voz. No entanto, apesar de tudo ser essencialmente idêntico num momento e no outro, o seu estado de espírito, como uma ilusão de óptica, tem o poder de alterar a sua perspectiva a ponto de convencê-lo de que as coisas estão diferentes do que realmente são. Mas enquanto uma ilusão de óptica apenas engana sua visão, o seu humor engana seu juízo de valor, sua perspectiva, os sentimentos amorosos e até a sua memória.

Mas há esperança! Com todo seu poder aparente, o efeito dos estados de espírito no seu relacionamento pode ser minimizado. Tudo que você precisa é respeitar a ilusão dos humores e estar disposto a fazer certas concessões aos seus estados de espírito negativos, e aos da sua parceira, quando eles surgirem. Em outras palavras, seus humores continuarão a ir e vir como sempre, mas você pode aprender a reagir a eles de um jeito completamente novo. Em vez da sua reação ser passiva como sempre, isto é, ficar na defensiva, hostil, ciumento, exigente, ou qualquer reação pura e simples, você pode dizer para você mesmo: "Eu sei que estou de mau humor (ou deprimido) e que não estou vendo as coisas como realmente são neste momento." Você dá um passo para trás e faz concessões ao fato de que está com uma predisposição mental negativa. Não confia nas suas reações. Em vez de pensar "Esse relacionamento não vai dar em lugar algum", você diz "É claro que estou pensando no pior, como costumo fazer, quando me sinto assim." Ou em vez de pensar "Minha parceira é a pior ouvinte do mundo", você lembra que nunca acha que é ouvido com atenção quando está nesse estado mental negativo.

A sua consciência da natureza enganosa do "baixo astral" pode eliminar grande parte das frustrações, e certamente evitará que você exagere as coisas. Suas reações negativas serão substituídas pela compaixão. Quando seu parceiro for grosseiro com você, em vez de levar para o lado pessoal e pensar "Ele sempre faz isso", você lembra que todo mundo responde de mau humor ou age de um jeito nada carinhoso de vez em quando, especialmente quando não estão bem.

A compreensão dos estados de espírito não é uma receita para aceitar o mau comportamento, nem para fingir que as coisas estão melhores do que realmente estão. Ao contrário, é uma ferramenta útil que evita que você faça tempestade em copo d'água e resguarda a sua objetividade. Todo mundo, inclusive você, diz e faz coisas quando está de mau humor que nem pensaria se estivesse de bom humor. Não esqueça que, se você está de "baixo astral" e aborrecido com alguma coisa, essa coisa, seja o que for, continuará lá quando seu humor melhorar. Portanto, se deixar para lá e tomar a decisão de levá-la menos a sério, pelo menos naquele momento, ficará mais imune aos efeitos negativos dos seus humores (ou da sua parceira). O segredo é esperar, entender que seu ponto de vista está sendo influenciado pelo seu estado de espírito. Em vez de analisar a sua vida nesses momentos, agradeça. Logo estará se sentindo melhor de novo.

Quando estiver se sentindo bem de novo, mais seguro e mais carinhoso, quando estiver de bom humor, sinta-se livre para conversar sobre os seus problemas, partilhar sua insatisfação e pensar. Vai descobrir que, na maioria dos casos, o que estava perturbando você provavelmente já terá desaparecido ou, pelo menos, parecerá bem menos significativo. E nesses casos, quando ainda se sentir incomodado, terá muito mais discernimento e bom senso à sua disposição. Por isso, vá em frente e brigue, mas espere até o clima estar certo.

19
CONHEÇA SEU PRÓPRIO VALOR

O ideal seria se todas as pessoas envolvidas numa relação amorosa tratassem seus parceiros como cem por cento iguais, em todos os sentidos da palavra. Mas infelizmente não vivemos num mundo ideal. Por uma série de razões, há algumas pessoas, tanto homens quanto mulheres, que se sentem superiores. Em alguns casos acham que o papel que desempenham, ou sua contribuição, é mais importante ou significativo do que o dos seus parceiros. Em outros casos, o que existe é pura ignorância. E há também os que apresentam uma dose doentia de arrogância ou que se dão importância demais.

Uma das maiores dádivas que você pode oferecer para si mesmo e conseqüentemente para o seu relacionamento é conhecer seu próprio valor, sentir-se seguro porque é especial, único e importante. Não existe uma só pessoa nesse mundo exatamente igual a você e ninguém pode ocupar seu lugar. A sua contribuição é importante e as dádivas e o valor que você traz para o relacionamento são significativos e insubstituíveis.

Infelizmente há muita gente que acredita no complexo de superioridade do parceiro. Talvez o companheiro ganhe a maior parte da renda familiar, por isso essas pessoas acham que dependem dele ou dela (e muitas vezes são tratadas assim). O provedor age como se a parceira tivesse sorte de ter "quem cuide dela", minimizando, assim, a sua contribuição. E apesar de ser uma sorte ter suas necessidades materiais atendidas pelo parceiro ou parceira, também é verdade que quem "ganha o pão" tem a mesma sorte de ter suas necessidades atendidas. Muitas vezes é a pessoa que não ganha o dinheiro que, trabalhando nos bastidores, torna possível e conveniente para o provedor executar seu trabalho. Menosprezar essa parte do quebra-cabeça é egoísmo e burrice.

Uma mudança incrível acontece quando os dois conhecem o próprio valor, quando cada um se sente seguro com sua contribuição exclusiva. Quando cada um sente que é igual ao outro na parceria, o relacionamento floresce.

Conheci um casal que se encaixava em um dos "estereótipos" clássicos. Sean, o marido, trabalhava fora e ganhava toda a renda da família. Martha ficava em casa com os três filhos em idade escolar. Os dois davam um duro danado. A principal diferença entre eles era que enquanto Martha dava valor à contribuição do marido, Sean menosprezava Martha, em todos os sentidos. Ele ajudava pouquíssimo, quando ajudava, na casa. Quando um dos filhos ficava doente no meio da noite, ele achava que ela devia cuidar de tudo enquanto ele dormia profundamente. Todo e qualquer conflito era ela que tinha de resolver. A agressividade dele era tão marcante quanto seus atos. Ela afirmava que era sutil, mas de certa forma ele humilhava Martha, como se quisesse "mantê-la no seu devido lugar".

A diferença entre esses dois e tantos outros casais, e o motivo de termos incluído sua história neste livro é que Martha nunca duvidou do seu próprio valor. Durante anos ela enfrentou a arrogância do marido, achando que ele (nas palavras dela) "simplesmente não compreendia". Mas num certo ponto ela ficou saturada.

Em vez de ficar decepcionada com ela mesma ou com o casamento, Martha assumiu as rédeas da situação. Não ficou de mau humor, não gritou, nem se sentiu insegura. Com muita confiança, ela estabeleceu as regras. Disse especificamente para o marido: "Ouça, Sean, tenho amado e apoiado você há muito, muito tempo. Eu sei que você tem essa idéia estranha e machista de achar que a sua contribuição é mais importante que a minha, mas está redondamente enganado! Na verdade você está é por fora. Não conheço um jeito mais gentil de explicar isso, portanto vou dizer exatamente o que eu vou fazer. Vou tirar um mês de férias de tudo que faço por você. Se você entender o recado, volto a ser como era antes. Se não, ficará por sua conta mais um mês. Durante esse mês não terá quem faça a sua comida, quem lave sua roupa, ninguém para lembrar os seus compromissos e absolutamente nenhuma faxina ou limpeza de espécie alguma. Se a casa ficar uma bagunça, você pode limpar ou não... eu não ligo. Não vou dar cobertura quando você perder atividades importantes das crianças, nem vou procurar as coisas que você perde todos os dias. Vou continuar a fazer as cinqüenta e tantas coisas que sempre faço pelas crianças porque amo nossos filhos e eles são pequenos demais para entender e apreciar tudo que faço por eles, mas você não tem desculpa. Quero que saiba que ainda amo muito você, mas não entro mais nesse jogo. Boa sorte e tenha um bom mês."

Por incrível que pareça, Martha manteve sua palavra um mês inteiro! Quando me contou essa história, fiquei imaginando como o casamento deles sobreviveu, e o fato é que sobreviveu mesmo. Depois do ressentimento e do choque inicial, Sean desenvolveu um respeito novo pela mulher que, aparentemente, modificou a dinâmica do casamento deles. Na verdade, ele hoje sente vergonha do seu comportamento anterior.

É óbvio que esse caso é extremo e a abordagem de Martha não funcionaria, nem agradaria a todas as pessoas. A propósito, eu nunca ouvi nenhuma história parecida com essa. No entanto, isso demonstra o poder de conhecer seu próprio valor. Esperamos que o seu parceiro (homem ou mulher) jamais menospreze você por qualquer motivo, financeiro ou não. Mas mesmo se isso acontecer, é útil lembrar que o que pensa de você mesmo é o que importa. Procure recordar de tempos em tempos como você é especial e maravilhoso ou maravilhosa. Fazendo isso você sempre saberá seu próprio valor.

20
USE UM ARTIFÍCIO POSITIVO

Na política, o termo artifício adquiriu uma conotação negativa. Conservador ou liberal, o termo implica uma idéia meio oblíqua, falsa ou que induz ao erro, com interesses próprios em mente. Mas nos relacionamentos pessoais é uma história completamente diferente. A idéia de acrescentar um artifício positivo aos acontecimentos, às circunstâncias e aos desafios do seu relacionamento pode se transformar num dos hábitos mais importantes da sua vida a dois. Na verdade, sem esse hábito, praticamente qualquer coisa, grande ou pequena, possui o poder de aborrecer ou frustrá-lo.

Grande parte da nossa experiência depende de como a encaramos. Há uma história de dois pedreiros que faziam exatamente o mesmo trabalho. Alguém perguntou para o primeiro: "O que você faz?" Ele respondeu num tom negativo, obviamente sentindo pena dele mesmo: "Fico aqui sentado todos os dias, pondo uma droga de tijolo em cima do outro." A pessoa vira para o outro pedreiro e faz a mesma pergunta. A resposta dele é bem diferente. Ele diz, com confiança e animado: "Sou um artesão. Eu ajudo a construir os lindos edifícios que você está vendo à sua volta. Sem a minha contribuição, nada disso existiria."

A moral da história é que os dois homens estão certos!

Conhecemos um casal que tinha perdido tudo que possuía num incêndio horrível. Resolveram que era uma bênção disfarçada. Acharam que aquilo lhes dava a chance de recomeçar e construir sua vida a dois desde a estaca zero, literalmente!

Conhecemos outro casal que perdeu suas economias da vida toda num negócio escuso. No entanto, em vez de deixar que isso arruinasse suas vidas e os tornasse vítimas, pessoas amargas, eles tomaram uma decisão diferente. Resolveram que tinham se tornado gananciosos e materialistas demais. Esse acontecimento, por mais doloroso que fosse, era a chance de reavaliar suas prioridades e viver uma vida muito mais simples.

Esses mesmos fatos poderiam provocar a separação dos casais e de fato provocam.

Mas é fácil entender que podemos tomar qualquer situação e encará-la de duas maneiras. Podemos procurar o que há de bom nela, quaisquer dádivas escondidas e o que podemos aprender com isso. Ou podemos adotar a visão mais comum e considerar praticamente todas as dificuldades e conflitos simplesmente mais provas de que a vida é dura e injusta.

É claro que pelo simples fato de ler essa estratégia você

não vai ser sempre capaz de encarar os acontecimentos com uma perspectiva mais positiva (nós também não conseguimos), mas certamente é um consolo saber que essa possibilidade existe.

Pode ser alguma coisa relativamente pequena, sua namorada ou namorado se atrasar para um encontro ou dar o bolo, seu marido beber demais durante uma noite, sua mulher flertar com outro homem, seu parceiro não fazer a parte dele nas tarefas domésticas... ou algo mais sério, o seu filho se mete numa encrenca, você é forçado a mudar para outra cidade, um dos dois perde o emprego, ou você sofre de um problema físico. Mas você tem sempre a opção de dar um toque positivo nisso, se achar que deve.

Você poderia dizer: "Ah, claro, isso é pensamento positivo de Poliana." Mas você deve se perguntar: "Que opções eu tenho?" A única opção que você vê é a de ser negativo, de usar um artifício derrotista, pessimista. Mas se pensar bem, essa não é uma opção muito boa. Ela só faz tornar pior a situação, fica tudo mais difícil do que já é. Também pode deixar todo mundo à sua volta deprimido e inseguro, e diminuem suas chances de superar a situação com dignidade e eficiência.

A nossa experiência tem demonstrado que sempre que pudermos usar um artifício positivo numa situação – seja qual for – isso vai nos ajudar a crescer como um casal, a descobrir soluções criativas e a manter as coisas na sua devida perspectiva. Evita que os dias ruins fiquem piores ainda, e que as experiências más nos empurrem para baixo. E, principalmente, evita as tempestades em copo d'água. Por isso, a nossa posição é muito clara. Sempre que possível, é melhor usar um artifício positivo nas suas experiências.

21

LEMBRE QUE O SEU PARCEIRO NÃO PODE LER A SUA MENTE

Parece-nos que um dos piores erros que muita gente comete em seus relacionamentos é que, sem se dar conta, às vezes presume que o seu parceiro ou parceira é capaz de ler a sua mente. Ou então, se não presume que podem fazer isso, freqüentemente espera que façam.

Estava conversando com um amigo e ele começou a reclamar que sua mulher não era capaz de se organizar. Ele parecia atormentado com essa questão e, na verdade, já tocara nesse assunto comigo diversas vezes. Finalmente perguntei para ele: "A Carol sabe que isso incomoda você tanto assim?" E o fato era que ela não tinha a menor idéia que isso o incomodava!

Há vários bons motivos que justificam a importância de reconhecer esse problema e cortá-lo pela raiz. O primeiro, e o mais óbvio, é que isso gera muito sofrimento e conflitos internos para você. Você anda por aí carregando uma tonelada de frustração que tem muito pouco a ver com você mesmo, se é que tem. Fica furioso, aborrecido ou irritado com alguma coisa... e é o único que sabe disso. Se isso não é estresse auto-induzido, então é o quê?

O segundo é que não é justo com a sua parceira. Lá está você soltando fumaça pelas ventas por alguma coisa, e nem dá à sua parceira a satisfação de explicar o que o incomoda tanto. Provavelmente está demonstrando raiva ou irritação, mas ela nem sabe do que se trata. Em casos como esse, você está exigindo que ela leia a sua mente! Que chance ela tem? Como é que ela pode se explicar e, pior ainda, fazer alguma coisa a respeito?

A primeira coisa que me incomodou na Kris foi a sua tendência de me deixar esperando. Depois de um tempo comecei a ficar furioso com isso. Contava para os meus amigos mais chegados, ficava de mau humor, reclamava e desejava que ela mudasse. Finalmente, quando não agüentei mais, falei com ela. De um jeito muito sincero e sem ficar na defensiva, ela disse: "Eu sinto muito. Nem percebia que estava fazendo isso. Gostaria que tivesse me dito antes." O que aconteceu foi que, enquanto eu era obsessivamente pontual, ela não se incomodava de se atrasar alguns minutos. Simplesmente não podia imaginar que isso fosse grande coisa e não tinha idéia de que estava me deixando irritado. Por isso, apesar de deixar as pessoas esperando não ser uma grande idéia, é óbvio que a responsabilidade de lidar com a situação estava nas minhas mãos. Eu esperava que Kris adivinhasse o que eu estava pensando. E ela tem muitas qualidades mágicas, mas ler a minha mente não é uma delas.

O que nós dois aprendemos foi que, quando alguma coisa nos incomoda, em geral é melhor dizer para o parceiro. Escolha um momento em que nenhum dos dois esteja na defensiva. Então puxe o assunto carinhosa e respeitosamente e veja o que acontece. Parece lógico que, na maioria dos casos, a sua chance de obter um resultado favorável seja muito maior do que se ficar achando que a sua parceira vai ler a sua mente. E se possível, evite a idéia autodestrutiva: "Ele (ou ela) deveria saber o que eu preciso ou quero." Será muito mais fácil para você e para o seu relacionamento se tratar de contar para ele ou para ela.

22
DÊ UM BOM EXEMPLO (KRIS)

Todos nós já ouvimos dizer que não se pode modificar ninguém. Mas isso é uma coisa estranha. Depois de viver com alguém algum tempo, descobrimos coisas que gostaríamos de mudar, não é verdade? No entanto, por mais compreensível e sedutora que seja a idéia de tentar modificar o seu parceiro, o fato é que dar um bom exemplo é a melhor maneira de influenciar qualquer mudança no seu companheiro.

Temos uma amiga que adora ler livros inspiradores e espirituais. Ela já era uma pessoa alegre e extremamente carinhosa. O marido dela, por sua vez, que poderia mesmo se beneficiar com alguns conselhos sábios, resistia aos pedidos dela de lerem juntos... até estar preparado. No início ela cometeu o erro comum de insistir para que ele lesse seus livros. E, é claro, quanto mais ela insistia, mais ele resistia e se afastava dela (e dos livros). Parece que é da natureza humana. Ninguém gosta de sentir que alguém quer enfiar alguma coisa à força pela sua goela abaixo.

Depois de algum tempo ela recuou e continuou a fazer suas leituras pessoais, desistindo da idéia de fazê-lo mudar. Continuou a se aprimorar. Ficou mais calma e mais bondosa ainda, mais feliz do que era antes. Com o tempo, seu espírito alegre tornou-se um pouco contagiante e despertou a curiosidade do marido. O bom exemplo que ela deu fez com que ele se interessasse pelos livros afinal. Hoje os dois têm muitas conversas inspiradas na Dra. Laura, em John Gray e em muitos outros autores.

Um outro casal de amigos é um excelente exemplo da importância de dar o bom exemplo. Barbara passou grande parte da vida estudando e praticando exercícios e hábitos saudáveis. Fisicamente ela é um lindo espécime. Don, o marido dela, nesses últimos anos concentrou a maior parte da sua energia na sua carreira. Chegou um momento, alguns anos atrás, em que Don teve de adotar um estilo de vida novo, completamente diferente, por motivos de saúde.

Barbara, que era a epítome da saúde, percebeu que a única maneira de Don aderir à rígida dieta vegetariana indicada pelo médico era se ela também a adotasse, e foi exatamente o que fez. Em vez de ficar chamando a atenção dele o tempo todo, ela resolveu dar o bom exemplo. E funcionou às mil maravilhas. Hoje, tanto Barbara quanto Don são visões de saúde excelente. Estão felizes, saudáveis e vibrantes.

Durante esses anos, eu observei que Richard muitas vezes me imita em certas coisas. Se eu como alimentos saudáveis e faço muito exercício, Richard também faz. E o contrário também funciona. Quando eu estava grávida, Richard engordou alguns quilos.

Essa estratégia também funciona para a felicidade. Nesses anos observei Richard trafegando graciosamente pelos seus altos e baixos de humor. Ele me ensinou, por exemplo, a fazer a mesma coisa. Em vez de dar uma aula, ele simplesmente dá o exemplo.

A saúde mental, a energia do amor e bons hábitos são contagiantes. Se há alguma coisa no seu parceiro que você deseja modificar, faça uma avaliação de você mesma primeiro. Dê o exemplo na sua maneira de viver e, com o tempo, o seu parceiro pode acabar aderindo também.

23

NÃO BRIGUE POR COISAS BOBAS

Essa estratégia vai diretamente ao cerne da questão. Brigar por coisas bobas é uma outra forma de dizer que você está fazendo tempestade em copo d'água... em grande estilo! No entanto, vemos isso o tempo todo. Casais discutindo e implicando com as coisas mais ridículas. As pessoas brigam porque alguém não guardou a tesoura de volta no lugar, para saber de quem é a vez de pôr o lixo para fora, quem tem mais tempo livre, quem trabalha mais ou se vocês se divertiram ou não na reunião de família do ano passado! As pessoas discutem para saber quem dirige melhor ou quem é mais dedicado aos filhos, quem tirou segundo lugar num concurso que aconteceu no ano anterior. As pessoas ficam furiosas se têm de esperar alguns minutos quando o parceiro se atrasa um pouco, quando os modos à mesa não são perfeitos ou quando o parceiro entende mal alguma coisa. Até conhecemos uma mulher que começou uma briga porque o marido pôs as toalhas no banheiro errado! Nossa! O que poderia ser mais importante do que isso?

Ironicamente, muitos casais dirão que raramente brigam por questões realmente significativas. Então parece fazer sentido que se uma ou as duas pessoas num relacionamento pudessem eliminar todas as brigas por motivos fúteis (ou a maior parte), ficaria tudo bem... pelo menos a maior parte do tempo.

Quando você elimina (ou até quando reduz bastante) o número de coisas pequenas que o aborrecem a ponto de causar uma briga, está abrindo a porta para um tipo diferente de relacionamento. É muito agradável e divertido estar com alguém que não se aborrece o tempo todo com alguma coisa... é revigorante, atraente e estimulante. Quando vocês se recusam a brigar por coisas bobas, podem voltar a ser verdadeiros companheiros, parceiros em todos os sentidos da palavra.

Quando as coisas não o incomodam tanto, quando sua paciência e objetividade estão intactas, você está sempre reforçando ou relembrando ao seu parceiro por que ele ou ela gosta de você. Seu senso de humor aparece mais, você fica mais interessante e introspectivo e passa a ser uma companhia bem mais divertida.

Nós dois sempre partimos do princípio que um bom relacionamento é uma coisa que as pessoas desejam por diversos motivos, e um deles é que quando você está com alguém que não se aborrece facilmente, que não faz tempestade em copo d'água no amor, o estresse é tremendamente reduzido, porque você sabe que pode ser você mesmo na presença do seu parceiro, que pode ser humano. Mas essa dádiva funciona nos dois sentidos. Ou seja, além de querer estar com alguém que faz a vida parecer mais fácil e mais divertida, você também quer ser uma dessas pessoas para o seu parceiro. Se puder diminuir as brigas por pequenas coisas, você será muito mais desejável para o seu parceiro em todos os sentidos da palavra.

Lembre que, longe de reduzir o estresse, estar na companhia de alguém que está sempre irritado com alguma coisa que você faz e sempre puxando briga por alguma bobagem, ao contrário, produz mais estresse. Afinal, por que você ia querer estar perto de alguém que está sempre a ponto de começar uma briga? Não é divertido e é estressante demais.

A solução é muito simples. Requer principalmente intenção. O segredo parece que é começar a ver as coisas irrelevantes e sem importância com objetividade. Ajuda a refletir sobre coisas que realmente não têm importância e se comprometer a deixar para lá a maior parte. Faça a seguinte pergunta para você mesmo: "Será que eu quero que a minha vida gire em torno de brigas por coisas bobas, exigindo que os outros, especialmente as pessoas que eu amo, sejam diferentes?" Pelo simples fato de fazer essa pergunta de um modo direto e honesto, a resposta será obviamente... um não.

Você vai passar a ver que quando se aborrece o suficiente para brigar por coisas bobas, na verdade o que está fazendo é se definindo como um parceiro que não é capaz de se concentrar nas dádivas e nas qualidades do seu relacionamento. Essa pode ser uma descoberta humilhante, se não for assustadora.

No entanto, é uma descoberta importante. Porque quando der essa guinada nos seus julgamentos e vir como está contribuindo para aumentar o problema, poderá se afastar dessa tendência e aprender a deixar as pequenas coisas para lá, concentrando-se no que está certo no seu relacionamento. É simples.

Você nem imagina quanto amor a mais você sentirá e como vai se divertir quando puser essa estratégia em prática. De agora em diante, quando estiver brigando por coisas sem importância, ria de você mesmo e deixe para lá. Faça da felicidade uma meta mais importante do que a teimosia. Logo isso pode se tornar um hábito que modificará o curso dos seus relacionamentos para sempre.

24

TRANSFORME-SE EM UM EXCELENTE OUVINTE

Um dos pontos mais sensíveis dos relacionamentos é o que gera a reclamação: "Ele (ou ela) não ouve o que eu digo." Perguntando por aí, fica claro que pouca gente acha que o parceiro ou parceira é um bom ouvinte.

Quando você se transforma no melhor ouvinte do mundo duas coisas acontecem. A primeira, e mais óbvia, é que é estimulante para a sua parceira essa demonstração constante de que você realmente se preocupa com o que ela tem a dizer. É a melhor maneira, e talvez a mais eficiente, de demonstrar que está interessado e que compreende. Você sempre pode dizer "Eu me interesso por você", mas se a sua atenção se concentra em outras coisas, está provando que essas outras coisas, que merecem a sua atenção, são mais importantes.

Ser um bom ouvinte também reforça o fato de que você se preocupa com os sentimentos da sua parceira e que reconhece e valoriza a sua opinião. Quando sentimos que o outro está realmente ouvindo, isso gera a sensação de que somos especiais, que não menosprezam o nosso valor. A capacidade de ouvir encoraja a pessoa que está falando a se abrir e ter vontade de partilhar, e quase sempre aproxima mais ainda os dois. Também incentiva a reciprocidade na disposição para ouvir, o que cria uma comunicação sensível e íntima. Não há dúvida alguma de que é relaxante e cativante estar com alguém que sabe ouvir e que, francamente, é uma chatice estar na companhia de alguém que não sabe.

Mas existe um outro benefício proporcionado por essa capacidade de ouvir, talvez menos conhecido, que precisamos levar em conta também. Saber ouvir reduz demais a sua propensão às reações exageradas, à suscetibilidade diante de pequenas coisas. Quando você ouve atentamente e com carinho o que seu parceiro tem a dizer, na maioria dos casos isso evita que você chegue a conclusões precipitadas ou que reaja como de hábito, o que é exatamente o que acontece quando supõe que já sabe o que sua parceira vai dizer, ou quando sua mente está desatenta, divagando, mesmo que só um pouco.

Quando você se dispõe e se dá ao trabalho de ouvir, você escuta (e sente) coisas que não escutaria se ficasse apenas esperando sua vez de falar ou se apenas prestasse atenção parcialmente ao que está sendo dito. Você terá muito mais compaixão, porque ouvirá o sofrimento e a frustração que muitas vezes a sua parceira está sentindo. Verá a inocência nela, e seu coração se abrirá. Por outro lado, também poderá compartilhar da alegria da sua parceira porque ouvirá o entusiasmo e a animação que não aparecem quando você não sabe ouvir muito bem.

A diferença entre ouvir adequadamente e ser um ouvinte excelente é enorme. Muitas vezes pode representar a diferença entre um relacionamento medíocre ou que parece simplesmente "razoável", e um que é realmente magnífico. Ouvir adequadamente (ou normalmente) em geral é tolerado, mas não contribui em nada para alimentar o espírito. Ser ouvido é uma necessidade tão profunda do ser humano que, quando não acontece, há sempre uma sensação de que falta alguma coisa. Por outro lado, quando alguém sente que prestam atenção no que diz, desde que a disposição seja sincera, essa pessoa tende a se sentir completa e satisfeita, como se não existisse lugar melhor no mundo do que ao lado desse bom ouvinte.

Só há uma maneira de conquistar essa excelência em audição, que é a tradicional: com muita prática. Ser um ouvinte de primeira classe significa muito mais do que ser capaz de repetir o que sua parceira acabou de dizer. Requer estar realmente "presente" em relação ao que está sendo dito, além de paciente e empático. Significa que primeiro você procura entender o que é dito, você interioriza sem julgar e espera sua parceira terminar de falar, antes de aproveitar a sua vez.

A boa notícia é que qualquer pessoa pode ser um bom ouvinte, simplesmente desejando sinceramente ser um. Tudo que você precisa fazer é observar como é tentador se intrometer, interromper ou dar alguma contribuição no assunto antes de a pessoa com quem está conversando terminar, e antes de entender o que ela está querendo dizer. Você provavelmente terá de se policiar muitas vezes até esse hábito ficar sob controle, mas ficará mais fácil a cada dia. Enquanto estiver cortando esse mal pela raiz e for ficando cada vez mais interessado em ouvir do que em falar, estará pavimentando o caminho para uma dádiva rara – um relacionamento gratificante e respeitoso, baseado no dom de saber ouvir. O que poderia ser melhor do que isso?

25

EXPERIMENTE UMA *SÚBITA* REVIRAVOLTA

Em outro livro que escrevi, mencionei que Jim e Yvonne estavam casados há trinta e dois anos de infelicidade quase constante, quando descobriram que Jim tinha um tumor maligno que ameaçava sua vida. Antes de receber a má notícia, o relacionamento dos dois era tenso e nada carinhoso. Estavam sempre discutindo e irritados um com o outro. Havia muito conflito, raiva e frustração, e poucas risadas, amor e respeito mútuos. Eram implicantes e ambos costumavam fazer tempestade em copo d'água. Apesar de "manterem as aparências", Jim descrevia o amor deles como "perdido" há muitos anos. Yvonne concordava.

Mas aconteceu uma coisa estranha quando o médico deu a notícia. O amor que sentiam um pelo outro, que estava soterrado em amargura e negativismo, subitamente voltou, juntamente com a objetividade e a gratidão. Os dois experimentaram o que se pode chamar de mudança de ânimo ou uma súbita reviravolta. A maioria das coisas que os mantinham distantes e que pareciam tão irritantes e urgentes subitamente perdeu o sentido. Como uma nuvem negra que se abre e deixa o sol passar, era como se os anos de sentimentos negativos desaparecessem, dando lugar ao carinho e ao amor.

Jim e Yvonne eram as mesmas pessoas, com os mesmos hábitos e a mesma história de antes de receberem a notícia. Tinham as mesmas manias e a mesma aparência física. Certamente a situação deles não melhorou! Pelo contrário, até piorou. Afinal, tinham acabado de saber que um deles estava desenganado. No entanto, passaram a sentir um amor sincero e profundo, um pelo outro. Por quê?

A única coisa que mudou foi a consciência de uma doença. Ou seja, a reviravolta que ocorreu foi inteiramente mental. Eles compreenderam que vinham agindo de um modo ridículo. E como todas as mudanças súbitas são basicamente mentais, fica claro que não precisamos de más notícias para vivenciar uma. Ao contrário, só precisamos desejar, ter essa abertura e disposição sincera de ver as coisas de um jeito diferente, além de um pouco de humildade, de querer admitir que devemos estar errados em adotar essa visão que magoa em vez de ajudar o nosso relacionamento ou qualquer outro aspecto da nossa vida.

É útil afirmar o que você realmente gostaria que acontecesse. Por exemplo, você pode dizer: "Eu sei que devo ser o responsável, mas não sei o que está acontecendo. Gostaria de parar de sentir e de agir como se estivesse me defendendo da minha companheira quando ela dá uma sugestão." Você pode fazer uma descoberta, minutos, dias, semanas, até meses depois. E quando isso acontece, é como uma bomba. Por exemplo, você pode descobrir de repente que sua parceira tem o hábito de fazer certos comentários para todas as pessoas que encontra, e que não são pessoais em relação a ninguém, inclusive você. Essa descoberta pode gerar uma sensação repentina de objetividade que vai libertá-lo da posição defensiva quando estiver com ela. Uma descoberta que pode modificar o curso de todo o seu relacionamento. Uma reviravolta súbita pode acontecer a qualquer momento, em qualquer lugar, e pode envolver praticamente qualquer conjunto de circunstâncias.

Eu costumava sentir um medo terrível de falar em público. A simples idéia já provocava a sensação de que ia desmaiar e em duas ocasiões realmente desmaiei! Então, um dia, tudo mudou. De repente vi tudo diferente, e desde então nunca mais senti medo. Descobri que gente é gente, que estamos todos juntos nisso, e que não tinha nada a temer. Na verdade é claro que não havia o que temer ou deixar de temer... todos os fatores eram os mesmos. Depois de passar anos esperando uma luz, tive a sorte de experimentar uma reviravolta mental no modo que encarava o ato de falar em público. Até hoje vejo diferente. Repito, é tudo mental.

Esteja aberto para a possibilidade de você também poder experimentar uma reviravolta súbita em algum aspecto do seu relacionamento. Talvez tenha sempre discutido sobre um determinado assunto e queira pôr um ponto final nesse capítulo da sua vida, de forma pacífica, sem esforço. Ou talvez você tenha adquirido o hábito de não dar valor à sua parceira, e já seja hora de despertar e apreciar o que ela é. Sejam quais forem as circunstâncias, é possível passar por uma reviravolta súbita na sua maneira de ver, uma descoberta que mudará sua vida para melhor. Prepare o palco para uma descoberta repentina e fique de olho para ver o que aparece. Ficará encantada com o que pode acontecer com você.

26

EVITE O HÁBITO DE DIZER "EU TIVE UM DIA DIFÍCIL"

Uma das canções preferidas da nossa família é "Honey, I'm Home" (Querido, cheguei), de Shania Twain. As meninas, especialmente, adoram cantar essa música quando viajamos de carro. Nessa canção divertida e animada, Twain canta sobre um "dia difícil" que teve. Entra em todos os mínimos detalhes de tudo que deu errado. Um depois do outro. Tudo que poderia dar errado... deu. Qualquer pessoa que já teve um dia horrível se identifica.

No fim da música, temos a sensação de alívio daquele seu dia finalmente acabar. Não dá para evitar fazer a ligação entre a descrição detalhada dos acontecimentos negativos do dia e a sensação de que agora está tudo bem.

Eu sou o primeiro a admitir que há momentos em que uma boa sessão de reclamações faz bem ou que partilhar os acontecimentos difíceis do dia é necessário e catártico, mas esse é um hábito muito atraente e perigoso de se adquirir, se formos longe demais. É fácil esse tipo de crítica diária transformar-se num modo de vida e no foco principal das conversas.

Um dos nossos grandes amigos estava saindo com uma mulher muito simpática. Ele gostava muito dela. Acontecia, no entanto, de ela ter um hábito que com o tempo começou a deixá-lo furioso. Toda noite, depois do trabalho, eles se encontravam para jantar, senão conversavam pelo telefone. O hábito dela era cantar a própria versão de "Honey, I'm Home", só que não era engraçado. Sua vida era interessante e tinha muito que agradecer, mas ela se concentrava, quase o tempo todo, no que dava errado. E como muita coisa dá errado para todos nós, ela jamais ficava sem munição. A verdade é que não há uma correlação entre fazer essa revisão dos acontecimentos negativos e um sentimento positivo. É exatamente o contrário. Qualquer sentimento positivo que exista entre você e o seu parceiro existe *apesar* da crítica negativa do dia, não por causa dela.

Por ser extremamente tolerante e um ótimo ouvinte, nosso amigo achava difícil admitir que não suportava mais. Ele observou que estava começando a esquecer que, em geral, a vida é maravilhosa. Eles tentaram conversar sobre o assunto diversas vezes, mas ela dizia que estava simplesmente sendo honesta quanto ao que sentia.

Pode ser complicado superar esse hábito porque, como a ex-namorada do nosso amigo, quase sempre podemos justificar o "hábito do dia difícil" com os acontecimentos do dia. Mas é importante lembrar que normalmente um dia típico tem muito mais coisas além daquelas que dão errado. Na verdade você pode ter feito vinte coisas em um dia e dezenove provavelmente acabaram bem... mas você conversa sobre a vigésima durante o jantar!

Mais uma vez, ninguém está negando que a vida pode ser dura e que certos dias são especialmente difíceis. De vez em quando todos nós precisamos alugar os ouvidos de alguém, e por vezes não faz mal extravasar. Mas procure evitar transformar os acontecimentos negativos do seu dia no tópico principal da sua conversa à noite. Quando cortar esse mal pela raiz, você vai descobrir que há muito mais coisas boas na vida e essa alegria vai se espalhar em todos os seus relacionamentos. Você acabará sendo uma pessoa muito mais interessante para o seu parceiro ou parceira, e muito mais divertido e agradável também.

27

DEIXE QUE ELE COMPRE O PRÓPRIO ALMOÇO

Kris estava conversando com uma mulher sobre o desafio que é manter-se limitada a um orçamento. A mulher dizia para Kris que ficava furiosa e frustrada porque o marido adorava almoçar fora em vez de deixá-la cozinhar para ele. Para ela essa opção era uma extravagância desnecessária, um desperdício de dinheiro que comprometia a estabilidade financeira deles. Afinal de contas, ela observou corretamente: "Ele pode gastar sete ou oito dólares nesses almoços, enquanto eu posso fazer um almoço delicioso com menos de três."

A posição do marido era bem diferente. Para ele, almoçar fora era uma das poucas coisas que gostava de fazer por ele mesmo, um luxo que achava que podia pagar com facilidade. Sentia-se sob enorme pressão o dia inteiro no trabalho e essas escapadas na hora do almoço para um café ou *delicatessen* tranqüilos pareciam proporcionar uma certa paz mental. Era um programa que ele previa com prazer todos os dias e era óbvio que não ia desistir dele sem resistência.

É claro que podíamos inverter esse exemplo. Em geral, é o marido que se aborrece com a mulher por causa das "extravagâncias" dela. É claro também que não estamos argumentando contra ser frugal. Na verdade, em *Don't Worry, Make Money*, eu usei o ponto de vista dessa mulher como uma maneira ótima de economizar dinheiro... e certamente pode ser.

No entanto, nesse caso, essa questão estava causando uma grande tensão entre os dois e estava interferindo no amor que sentiam um pelo outro. O que eles deviam fazer?

Apesar de as circunstâncias financeiras claramente poderem influenciar a resposta mais apropriada, nesse exemplo seria melhor a mulher parar de reclamar e tomar a decisão de compartilhar a felicidade do marido. Em muitos casos a diferença de alguns dólares por dia realmente pode significar a segurança financeira futura de um casal, mas não era esse o caso para esse casal. É claro que algum dinheiro a mais seria bom... mas a que preço? É mais importante estar "certa" e exigir que o seu parceiro veja as coisas do seu modo ou é mais importante descobrir maneiras simples de dar alegria a ele? O que é mais importante, a "segurança futura" ou o "presente harmonioso"? Repito que não estamos sugerindo que você sacrifique a segurança do seu futuro pela satisfação de uma necessidade atual, mas sim que aprenda a traçar uma linha apropriada que leve em consideração as alegrias do seu parceiro.

Não pudemos resistir ao desejo de escrever sobre esse assunto porque simboliza uma coisa muito maior do que o preço de um almoço. A questão é: "Quanto vale um prazer simples que dá alegria ao seu parceiro?" Para nós a resposta sempre foi "Vale muito". Não importa se você tem de ceder uma pequena quantia de dinheiro, um pouco do seu tempo, uma preferência ou até passar por uma certa inconveniência. Normalmente vale a pena fazer um sacrifício pelo bem do seu parceiro ou parceira. Um companheiro ou companheira realmente satisfeito contribui para um relacionamento feliz e gratificante.

Algo de mágico acontece quando você pára de insistir em estar sempre "certo" (ou "certa"), quando você abranda sua opinião para satisfazer seu parceiro ou parceira. Normalmente o resultado é que seu companheiro vai acabar também suavizando a posição dele e juntos vocês descobrirão uma maneira de gentilmente encontrar uma solução que faça sentido.

Não estamos sugerindo que você precisa ceder sempre, ou satisfazer as necessidades do seu parceiro, nem que deve fazer isso se o pedido for irracional. No entanto, quando você sabe que aquilo não é grande coisa, e se deixa seu parceiro feliz, pode ser melhor para o seu relacionamento permitir que ele faça do jeito dele. Experimente, e seu relacionamento vai prosperar.

28
SURPREENDA-A COM ELOGIOS

Dez anos atrás eu talvez não tivesse incluído essa estratégia num livro, porque para mim fazer elogios é tão natural quanto escovar os dentes. Sempre gostei de elogiar e de ser elogiado, e casei com uma mulher que sabe distribuir elogios como ninguém. Mas depois de conversar sobre isso com centenas de pessoas, fiquei sabendo que, infelizmente, a maioria delas não recebe os elogios que gostaria de receber, especialmente dos seus parceiros.

As pessoas não distribuem elogios por diversos motivos. Primeiro, que muitas acham que o parceiro ou parceira não precisa de cumprimentos. Um dos meus amigos, por exemplo, chegou a me dizer um dia: "A Sara já sabe que adoro sua cozinha. Não precisa que eu diga." Outras simplesmente esquecem como é importante. É fácil não reconhecer o valor daqueles com quem passamos a maior parte do tempo, a tal ponto que suas enormes contribuições ficam invisíveis. Eu estava conversando com um homem sobre a família dele. Tinha três filhos em idade escolar e durante anos a mulher dele trabalhou na sala de aula dos três filhos, pelo menos uma vez por semana, em geral mais. Ele nunca fez isso, nem uma única vez. Fiquei espantado e disse: "Nossa, você deve agradecer a dedicação da sua mulher pelas crianças." E de repente ele descobriu que isso custava muito trabalho e dedicação. Humildemente admitiu que nunca tinha pensado nisso, e que nunca tinha agradecido à mulher por esse esforço. "Pensando bem, eu nunca agradeci o fato de ela trabalhar tanto no seu emprego também", ele acrescentou.

Finalmente, algumas pessoas até associam o fato de fazer elogios com um tipo de fraqueza. O raciocínio é que se eu faço elogios demais, isso pode querer dizer que não estou fazendo o suficiente ou que não tenho sido bom o bastante. Uma mulher chamada Beth me disse uma vez que ela não queria dizer para o marido que apreciava suas tentativas de ajudar no trabalho doméstico porque: "Eu faço muito mais do que ele, e se elogiar ele vai pensar que está fazendo mais do que eu."

Cada um desses motivos (e todos os outros) tem uma falha séria. As pessoas gostam de elogios e precisam deles para se desenvolver. São estímulos importantes. Afinal de contas, se não sabemos o que nosso parceiro aprecia em nós fica muito mais difícil agradar-lhe. Uma adolescente me disse certo dia no lançamento de um livro: "Eu sei tudo que meu namorado não gosta em mim, mas muito pouco do que ele gosta."

É fácil implementar essa estratégia. Tudo que você tem de

fazer é entender a importância dos elogios e começar a fazê-los. Desde que seus elogios sejam verdadeiros, desde que sejam de coração, você só pode ganhar. Só precisa refletir sobre a sua parceira e pensar em tudo que tem para agradecer. Afinal, o que você faria sem ela? E ela não adoraria ouvir isso de você?

Diga o que você gosta nela. Diga para ela, e não apenas uma vez, mas várias. Se você gosta de alguma coisa que ela faz, diz para ela. Se aprecia o fato da sua parceira ajudar ou ser responsável pelas finanças da família, diga para ela o que você sente. Se o seu marido ou a sua mulher aparar a grama, não pense que isso é obrigação dele ou dela, que não tem valor. Em vez disso, diga bem alto: "Você é sensacional. Muito obrigado." Quanto mais você pensa nisso, mais óbvio e mais fácil fica.

Nunca pense que alguém não quer ou precisa de um elogio. Esse é um dos momentos em que quanto mais, melhor. Kris provavelmente já me disse dez mil vezes que me admira por diversos motivos. Como suas palavras são sinceras, cada um dos elogios é tão bom quanto o primeiro.

Pare alguns minutos hoje e pense na sua parceira (ou parceiro). Pense em tudo que ela (ou ele) faz para tornar sua vida melhor, mais fácil e mais completa. Pense em todos os seus talentos e qualidades. Na próxima vez que a vir ou que falar com ela, surpreenda-a com um elogio... e depois faça dos elogios uma rotina na sua vida.

29

PARE DE QUERER QUE ELA (OU ELE) SEJA DIFERENTE

Não há dúvida de que, filosoficamente, essa é uma das estratégias mais importantes deste livro. A associação do desejo do nosso parceiro ser diferente com o nosso nível de insatisfação é poderosa e significativa. Para piorar ainda mais as coisas, muitas vezes não enxergamos esse hábito insidioso em nós mesmos.

Quando amamos alguém é tentador, e talvez quase inevitável, cair na armadilha de desejar um parceiro um pouco "melhor". Isso não significa necessariamente que queiramos de fato um parceiro diferente, só desejamos que ele ou ela seja um pouco diferente do que realmente é.

Reconhecendo abertamente ou não, quase todo mundo faz isso, mesmo que apenas um pouco. Podemos desejar que o nosso parceiro (ou parceira) seja mais parecido com outra pessoa, que ganhe mais dinheiro, que seja mais ambicioso, mais gentil, um melhor ouvinte, mais apaixonado, mais bonito, que reaja menos, que colabore mais ou alguma combinação dessas qualidades. É raro não ter algum desses desejos.

O problema é que sempre que existe uma distância entre o que temos e o que queremos, ficamos insatisfeitos ou frustrados de alguma forma. É uma regra dura e imediata da vida que se aplica aos nossos relacionamentos e a todos os outros aspectos das nossas vidas. Mas é difícil fazer essa associação porque superficialmente parece que a nossa frustração parte diretamente do nosso parceiro (ou parceira). A conclusão que é praticamente universal é: "Se o meu parceiro fosse diferente, ou melhorasse ou mudasse para atender às minhas expectativas, eu seria feliz."

O que a maioria faz quando reage a essa conclusão aparentemente lógica é fantasiar, desejar, esperar e, em alguns casos, exigir que o parceiro mude. Pensamos: "Certamente não serei feliz enquanto ele (ou ela) não mudar."

O resultado é que quando nosso parceiro não se modifica ou não atende às nossas expectativas, continuamos insatisfeitos. Podemos até nos sentir enganados ou guardar ressentimentos por estarmos convencidos de que é o nosso parceiro que nos impede de ser feliz. É culpa dele (ou dela). Eu poderia facilmente me convencer de que "Se ao menos a Kris fosse mais como eu queria que ela fosse, eu seria mais feliz", assim como a Kris poderia se convencer da mesma coisa a meu respeito. De qualquer modo, o que é garantido é que quem continuar a acreditar nisso ficará sempre insatisfeito. É tão previsível quanto o sol nascer todas as manhãs.

Infelizmente, mesmo naquelas raras situações em que seu parceiro se modifica, qualquer satisfação que sentirmos será breve. Quando atrelamos a nossa felicidade a essa insistência para o parceiro mudar, é só uma questão de tempo para desejarmos novas mudanças. Conheci dezenas de pessoas, homens e mulheres, que queriam desesperadamente que seus parceiros ajudassem mais em casa. Quando o "sonho" dessas pessoas se tornou realidade, através de um conflito, de um compromisso ou de um esforço sincero do parceiro, elas descobriram imediatamente que as mudanças não eram suficientes. Que seria melhor mudar mais.

O segredo é ver (e sentir) a ligação entre o desejo de o seu parceiro ser diferente do que ele ou ela realmente é e a sensação correspondente e previsível de que falta alguma coisa ou que algo não está certo. Se você enxergar essa ligação dinâmica entre seus pensamentos e o que sente, terá uma enorme surpresa. Na verdade, o seu relacionamento jamais será o mesmo.

Como uma experiência, anote suas frustrações, as características do seu parceiro (ou parceira) que você gostaria que mudassem. Agora faça as seguintes perguntas: "O que aconteceria se eu pudesse parar de desejar que ela fosse diferente para ser completa para mim?" "O que aconteceria se eu resolvesse amá-la do jeito que ela é?" Procure amá-la como ela é agora mesmo.

Quando a sua atenção é dirigida dessa maneira, as mudanças que você sofre são notáveis e dramáticas. Suas exigências diminuem e a sua frustração começa a desaparecer. Você fica mais tolerante e passa a perdoar mais, e fica bem menos crítico. A sua capacidade de se comunicar sem ficar na defensiva se aprimora, e sua capacidade de extrair o que há de melhor na sua parceira também. Finalmente, o amor que você sente passa a ser mais genuíno e incondicional. O amor que você estava esperando sentir está ao seu alcance. Você só precisa parar de querer que ela seja diferente.

30
NÃO PONHA SEU PARCEIRO NA BERLINDA

Bem lá em cima, perto do topo da lista "Não suporto quando meu parceiro faz isso" está o hábito irritante, ofensivo e insuportável de pôr seu parceiro (ou parceira) na berlinda. Ou seja, isso significa forçar o seu parceiro a tomar uma decisão instantânea, num momento difícil, em que se ele tiver de escolher uma certa resposta, parecerá certamente o vilão.

Eis um exemplo clássico. O telefone toca. Você não tem vontade de falar, por isso sua parceira atende o telefone. Quem ligou foi uma amiga dos dois que quer saber se vocês gostariam de fazer algum programa no fim de semana.

Há semanas você estava desejando um fim de semana tranqüilo e uma chance de pôr em dia alguns projetos domésticos. Mas a sua parceira está com vontade de sair e fica muito contente com a idéia.

É aí que a coisa se complica. A sua parceira afasta o fone da orelha e diz para você: "Querido, que bom. É a Susan. Vamos sair juntos esse fim de semana. Não acha ótimo?" Susan, que ainda está na linha, ouve tudo que você diz e fica esperando a sua resposta.

Se existe um momento constrangedor, certamente é esse. O que você vai fazer? Na verdade você não quer estar com Susan. Mas ela é uma boa amiga e não a vê há bastante tempo. Além do mais, ela está feliz de poder ver vocês... e a sua companheira também está animada.

Mas agora você está na berlinda. Não tem nem um único segundo para refletir sobre as suas prioridades, no tempo que precisa durante o fim de semana para fazer as outras coisas. Você não conhece todos os fatos, nem sabe exatamente o que estão pedindo que faça. Se for totalmente sincero, pode parecer egoísta, magoar sua amiga ou contrariar a sua parceira. Por outro lado, se você concordar apesar de não querer, provavelmente vai se sentir prejudicado, até um pouco ressentido. Nesse ponto, o melhor que pode fazer é pesar suas opções da melhor forma possível e procurar lembrar que isso também é só um "copo d'água". Qualquer decisão será boa.

No entanto, existe uma solução muito simples e respeitosa que é uma pena não utilizá-la. Filosoficamente pode ser chamada de "Não é justo pôr o meu parceiro na berlinda".

Para implementar essa filosofia tudo que a sua parceira teria de fazer seria expressar sinceramente o próprio entusiasmo com a idéia de encontrar a amiga. Depois ela diria educadamente: "Não sei o que ele (você) vai achar, mas espero que possa ir também. Vou perguntar se ele tem algum plano e ligo para você daqui a pouco. Mal posso esperar para vê-la."

É isso aí. Problema resolvido. Todos ganham, ninguém fica magoado, e ninguém fica na berlinda. Você agora tem a chance de pensar nas suas opções, ouvir como o seu envolvimento é importante para a sua parceira, equacionar todos os fatores e tomar uma decisão. O que poderia ser mais fácil que isso?

Talvez o modo mais constrangedor de ser posto na berlinda seja diante dos outros. Isso é ainda pior do que o exemplo do telefone porque, nesses casos, além de ouvir o que você diz, as outras pessoas também podem vê-lo, seus gestos, sua linguagem corporal e assim por diante. Você pode pôr o seu parceiro na berlinda de várias maneiras. Infelizmente nenhuma delas merece uma recepção carinhosa ou de apreço. Ao contrário, ser posto na berlinda em geral cria uma reação de defesa ou alguma outra reação negativa. E quase sempre cria uma atmosfera estressante.

Uma das maneiras mais fáceis de evitar fazer tempestade em copo d'água no amor é não ser posto à prova desnecessariamente. E se você não quer pôr o seu parceiro à prova, essa estratégia não é difícil de entender. Nem sempre, mas normalmente, você pode evitar pôr o seu parceiro na berlinda. Fazendo isso, será recompensada com um companheiro mais tranqüilo e provavelmente mais carinhoso.

31
PENSE ANTES DE FALAR

Temos uma amiga querida que nos contou a seguinte história: Tinha acabado de voltar para casa depois de um longo passeio de bicicleta com amigos. Estava muito animada porque o tempo que levou para completar a segunda parte do caminho tinha sido menor do que o tempo que levou para percorrer a primeira metade. Como estava se esforçando muito para ficar em boa forma física, achou que isso era muito importante e estava muito orgulhosa, com toda razão. Quando entrou pela porta da frente, toda animada, partilhou seu sucesso com o marido. Sem pensar ele disse: "Você só conseguiu voltar mais depressa porque há mais descidas no caminho de volta."

Ai! Para a nossa amiga foi como se alguém tivesse enfiado uma faca nas suas costas. A história dela foi minimizada e ela se sentiu "posta em seu lugar".

É óbvio que já se disse coisas piores, e tenho certeza de que ela conseguiu superar esse comentário impensado num período relativamente curto de tempo. Mas a questão é: "Por que ele teve de dizer aquilo?" Se estava tecnicamente certo, não é relevante. Não há qualquer possibilidade de alguma coisa positiva resultar desse comentário. Não acrescentou nada. O único resultado possível era magoar os sentimentos, abalar a auto-estima e gerar ressentimento. Por que alguém faria uma coisa com um resultado negativo tão previsível? E, no entanto, as pessoas fazem isso o tempo todo... e normalmente com as pessoas que mais amam.

O fato interessante é que o marido da nossa amiga é uma pessoa muito gentil. É improvável que ele tivesse a intenção de magoá-la, pois realmente ama a esposa. O erro fatal dele nesse caso não foi desamor, mas falta de disciplina para pensar antes de falar.

Essa tendência de dizer as coisas sem pensar se manifesta de diversas maneiras. Como sarcasmo, humilhação, se valorizar à custa do outro, corrigir ou simplesmente dizer uma coisa desnecessária, mas de certa forma cruel. Normalmente acontece quando você está na defensiva, nos momentos de cansaço, de sobrecarga, de estresse ou de frustração. Com que freqüência você descarregou alguma coisa quando estava de mau humor, e acabou se arrependendo depois?

A regra geral seria essa: se você tem uma mínima dúvida de que a sua reação é apropriada, pense na seguinte pergunta, com duas partes. "Esse comentário que vou fazer vai acrescentar qualquer coisa a essa conversa... vai nos aproximar mais ou vai nos afastar?" Com essa simples pergunta você já elimina a maior parte das mágoas desnecessárias que recairiam sobre a sua parceira (ou parceiro). Também é importante lembrar que um comentário que magoa inspirado no fato de não pensar antes não existe no vácuo. Você pode imaginar que quando uma pessoa é vítima de um comentário desnecessário, que magoa, ela vai ficar pelo menos um pouco na defensiva e provavelmente terá algumas coisas para dizer como resposta. Invariavelmente isso se transforma numa discussão ou em qualquer outro tipo de interação disfuncional e sem amor. Se o marido da nossa amiga, por exemplo, tivesse prestado atenção nos seus pensamentos, mesmo que apenas por um segundo, antes de falar, certamente teria optado por dizer outra coisa... ou talvez nem dissesse nada. Então, em vez de mágoas e um dia de ressentimentos, o tempo deles juntos seria aproveitado curtindo a companhia um do outro.

Essa estratégia é breve e doce. Pode até desconsiderá-la ou achar que é uma simples lembrança de algo que é óbvio na superfície, mas que às vezes é fácil esquecer. É muito importante fazer uma pequena pausa quando nosso parceiro acaba de falar para podermos pensar antes de dizer qualquer coisa. Isso só dá mais validade ao fato de o relacionamento amoroso, em essência, não ser muito complicado. O que parece mais importante mesmo é procurar ter consideração e ser bondoso, e não criar problemas para nós mesmos, pelo menos a maior parte do tempo.

32
DESCUBRA QUE PAPEL VOCÊ ESTÁ DESEMPENHANDO

Há muitas características que diferenciam os relacionamentos realmente ótimos de todos os outros. Amor e carinho, consideração, generosidade, ausência de ciúme, bondade, valores compartilhados, confiança, integridade, para citar apenas algumas.

Mas existe uma outra característica que deve ser acrescentada a essa lista ilustre e que é igualmente importante, contudo, costuma ser bem menos discutida e reconhecida: a disposição e o desejo de reconhecer nossas próprias contribuições para a criação dos problemas. Essa disposição é tão poderosa que, combinada com amor e carinho, nos deixaria muito bem, mesmo se não fizéssemos tantas outras coisas direito.

Pense só. Com que freqüência você ouve alguém dizer: "Nossa, eu realmente sei como estou contribuindo para isso?" Até rio um pouco quando faço essa pergunta porque a resposta é "Quase nunca". Em vez disso, o que costumamos ouvir são comentários destinados a culpar alguém pelos problemas que temos nas nossas vidas e nos nossos relacionamentos. Ouvimos afirmações como "Meu parceiro é exigente demais", "Ele não me ouve", "Ela é emocional demais", "Ele não faz a sua parte", além de centenas de outras afirmações e reclamações do tipo "Não é culpa minha". Infelizmente essa tendência é inútil e contraprodutiva, na melhor das hipóteses, e extremamente destrutiva na pior.

Seja sincero. Você já ouviu alguma vez alguém reagir com uma resposta positiva a uma afirmação de culpa? Por exemplo, se você diz, num tom amargo, responsabilizando a outra pessoa, "Você está sempre reclamando de mim", dá para imaginar seu parceiro (ou parceira) dizendo: "Tem razão, querido. Obrigada por dizer isso para mim. Vou começar a corrigir essa tendência agora mesmo. Eu amo muito você."

De jeito nenhum. Em vez disso a reação deve ser de defesa, ou nenhuma, mas cheia de ressentimentos. Nesse exemplo, o seu parceiro a verá como uma pessoa irracional, como se estivesse fazendo uma tempestade em copo d'água!

Mas é completamente diferente quando você procura ver como está contribuindo para qualquer problema que vocês estão tendo. Em vez de ignorá-lo ou resistir ao que você tem para dizer, sua parceira ficará mais atenta e ouvirá suas idéias.

Por exemplo, você pode refletir sobre a sua tendência de achar que está sendo sempre "cobrada". Pode então dizer para o seu parceiro: "Estou começando a perceber que costumo ter uma sensibilidade exagerada para essas coisas. Fico aborrecida de achar que estou sendo cobrada o tempo todo. Certamente vou cuidar disso, mas o que você acha que está acontecendo?"

A sua boa vontade para refletir sobre o seu comportamento e sua atitude nada defensiva vai criar um clima emocional positivo e abrir a porta para uma conversa que visa ao crescimento. Assim será mais fácil o seu parceiro entender seu ponto de vista e refletir sobre os seus sentimentos. Talvez ele reclame mesmo demais de você. Talvez não soubesse o que você sente. Ou... quem sabe? Talvez você *seja* mesmo sensível demais.

Você será capaz de identificar as soluções em muito menos tempo quando procurar ver a sua parte. É óbvio que isso não significa que seu parceiro seja perfeito, ou que não haja nada que ele não possa fazer de outra forma, ou hábitos que ele não possa modificar ou que, mesmo de vez em quando, *nunca* seja culpa dele, exclusivamente.

Nem sempre é o caso, mas normalmente um problema tem dois lados. As duas partes contribuem de alguma forma para criar esse problema. Quando nenhum dos dois vê o seu papel fica difícil, improvável, ou até impossível mudar. No entanto, quando os dois são capazes de enxergar de que forma estão contribuindo para gerar esse problema, uma solução sensata em geral aparece. Pense um pouco nessa estratégia e o seu relacionamento ficará menos confuso em pouco tempo.

33
TERMINE A TAREFA

Há meses Rachel estava querendo sair com as amigas que vinham de outras cidades. Programar o dia certo era difícil pois tinha de coordenar todos os horários, especialmente porque trabalhava meio expediente e tinha três filhos. A única noite que era possível para o grupo era "uma noite de volta às aulas" com os filhos, por isso contratar uma babá estava fora de questão. Ela ou Rick tinham de estar lá.

Rick, um pai consciente e dedicado, trabalha em tempo integral, e mais algum. Quando chegou a noite tão esperada, Rachel agradeceu muito a Rick por ficar em casa com os filhos. Afinal ele tinha sido obrigado a cancelar um compromisso e a perder uma reunião de negócios para conseguir ficar em casa e Rachel poder sair.

Rachel divertiu-se muito no encontro com as amigas. Mas ficou com o coração apertado no momento em que pôs os pés em casa. Todos, inclusive Rick, já estavam dormindo, mas parecia que uma bomba tinha explodido dentro da casa. Na mesma hora ela achou que sair com as amigas tinha sido um erro. Em vez de ir para a cama reanimada, ficou zangada por ter de voltar para casa e limpar a bagunça que não era sua responsabilidade.

Essa é uma história triste porque, justiça seja feita, Rick tinha feito algum sacrifício para ficar em casa. Ele estava cansado e precisava descansar. No entanto, o esforço que faltou... para terminar sua tarefa... transformou o que poderia ter sido uma noite maravilhosa e relaxante numa chateação para Rachel! Uma noite que ela programava há meses ficou prejudicada pelo aborrecimento de chegar em casa e encontrar aquele pandemônio.

Nessa história, "terminar a tarefa" seria gastar meia hora, se tanto, para fazer um certo esforço e arrumar a casa. Mas poderia ser também dar os telefonemas que você disse que daria, cumprir uma promessa ou outros compromissos e tarefas que tornariam a vida um pouquinho mais fácil para o seu parceiro. É simples assim.

Nem é preciso dizer que há muitas exceções a esta regra. Há momentos em que você simplesmente não pode fazer as coisas. Você está exausto demais, ou ocupado demais ou simplesmente esqueceu. Mas a moral da história é que sempre que for possível e razoável, procure percorrer aquele quilômetro extra pelo seu parceiro. Faça o que for necessário para terminar a tarefa. Assim o seu parceiro (ou parceira) não terá de fazer tempestade em copo d'água, porque você já terá feito!

34
TENHA PENSAMENTOS GENTIS

Como sou uma pessoa otimista, sempre achei que pensamentos positivos eram uma das principais chaves para a felicidade. E apesar de continuar acreditando nisso, aprendi que talvez mais poderoso do que o pensamento positivo seja o pensamento gentil. Tenho certeza de que se o seu objetivo é ter um relacionamento amoroso em que as pequenas coisas não interfiram nesse amor, vale a pena levar a sério essa estratégia.

Um exercício interessante é encher a sua mente de pensamentos gentis e amorosos e tentar ficar irritado. Acho que você não vai conseguir! O problema é que as qualidades de uma mente gentil não combinam com o aborrecimento... as duas coisas são mutuamente excludentes. Quando a sua mente é gentil, suas reações aos acontecimentos comuns – especialmente às coisas pequenas – tenderão a ser compassivas. Normalmente você será capaz de manter o senso de humor e também a objetividade. Em vez de reagir com severidade aos acontecimentos cotidianos, sua resposta virá da bondade.

Simplificando, as coisas normais que acontecem num dia não vão aborrecê-lo tanto e não parecerão grande coisa.

Pensamentos gentis são aqueles que enfatizam a beleza da vida e o privilégio de estar aqui. Variam desde pensamentos de amor e de paz aos de perdão e generosidade. Muitas vezes incluem uma certa gratidão.

Já vi essa simples estratégia afetar positivamente até mesmo as pessoas mais sérias. Lembro-me de quando trabalhei com um homem que era o exemplo da personalidade "tipo A". Era diligente, trabalhador, exigente e tenso. O casamento dele estava em xeque porque suas expectativas em relação à mulher e aos filhos eram tão elevadas quanto as expectativas que tinha em relação aos seus empregados. Na cabeça dele não havia lugar para erros. Tudo tinha de ser perfeito, senão ele expressava sua desaprovação de um modo incrível.

Pedi que ele aceitasse fazer uma experiência. Como era obcecado em "ser o melhor" em tudo o que fazia, não tive dúvidas de que faria o melhor possível. Eu disse que queria que ele enchesse sua mente, por um dia inteiro, só com pensamentos gentis. Toda vez que a mente dele divagasse para realização, perfeição e vitória, ele devia trazê-la de volta para idéias mais gentis. Foram essas as minhas instruções.

Concentrado em ser gentil, ele não teve outra saída senão afrouxar as rédeas em relação à família. Aliviou suas expectativas o suficiente para a mulher dele notar. Ficou um pouco mais paciente e um pouco menos irritável. Os filhos observaram que ele ficou menos apressado, chegou a sentar-se com eles à mesa do jantar sem ficar olhando para o relógio. Apesar das mudanças terem sido pequenas, bastaram para ele sentir. Foi uma experiência que abriu seus olhos e ele viu que a mulher e os filhos ficaram menos estressados perto dele.

Apesar de levar uma vida extremamente complicada e de lidar com questões muito complexas, essa estratégia simples acabou abrindo a porta para algumas mudanças positivas. É claro que precisou de bastante tempo e muita prática para apagar as antigas tendências, um dia só não resolveu tudo. Mas a disposição para experimentar o pensamento gentil pode ter salvado seu casamento e, no mínimo, mostrou-lhe uma dinâmica importante sobre o que significa ter um relacionamento. Às vezes as idéias mais simples são as mais poderosas.

35
TENHA SEMPRE COMPAIXÃO

Quando duas pessoas se apaixonam, em geral passam a ser o centro da vida uma da outra. Sabem ouvir e respeitar-se mutuamente e, acima de tudo, têm compaixão. Quando uma não está se sentindo bem, a outra fica ao seu lado. Quando uma está machucada – física ou emocionalmente –, compartilham a dor. Querem saber como foi o dia do parceiro ou parceira, das experiências que moldaram suas vidas. Fazem isso não por obrigação, mas por amor. Ouvir as histórias do outro, aprender um com o outro e partilhar suas experiências são privilégios e fonte de alegria.

A compaixão é definida como um sentimento simpático. Se você sente compaixão procura saber como é estar no lugar da outra pessoa. Em geral sentimos compaixão quando vemos alguém sofrendo. Queremos fazer alguma coisa, apoiar, ajudar, amar ou compreender. A compaixão é um dos sentimentos mais belos da humanidade. Quanto mais sentimos e expressamos, mais humanos nos tornamos.

Mas há uma coisa estranha que parece acontecer na maioria dos relacionamentos, especialmente nos mais longos. Aos poucos, com o passar do tempo, perdemos o sentimento de compaixão pelo outro. De alguma forma, começamos a vê-lo com uma luz diferente das outras pessoas. Achamos que nosso parceiro estará sempre lá e esquecemos, ou deixamos de perceber, que ele ou ela é humano também e que está sujeito ao mesmo sofrimento e à mesma dor que todos sentem. O fato é que, apesar de ser relativamente fácil ter compaixão por um perfeito estranho que pode estar passando fome, doente, ferido, sofrendo ou sentindo uma perda, nós não abrimos nosso coração da mesma forma para quem mais amamos neste mundo, especialmente quando a dor parte de "coisas" do dia-a-dia.

Se você ainda não perdeu a sua compaixão pelo seu parceiro ou parceira... não perca. Continue sentindo compaixão e o seu relacionamento permanecerá em terreno sólido e amoroso. Mas se perdeu essa capacidade, ou se ela está se acabando, você pode recuperá-la. Só precisa da simples lembrança de que a dor do seu parceiro é tão real quanto a de qualquer outra pessoa. Ele ou ela é vítima dos mesmos medos, sentimentos, dúvidas e preocupações de todos nós. Quando ela está amedrontada ou magoada, a necessidade de um abraço carinhoso e alguém com quem conversar é igual e tão legítima quanto a sua ou a minha. Quando ela teve um dia realmente difícil, a necessidade de falar sobre isso é perfeitamente razoável e não deve ser menosprezada de jeito nenhum. Lembre que quando sua parceira está zangada ou frustrada, mesmo quando expressa seus sentimentos para você, a última coisa de que precisa é de uma reação negativa, de defesa, da sua parte. O que provavelmente precisa é do seu amor e da sua compaixão, precisa que você esteja do seu lado e abra seu coração. E quando você fizer isso, ficará surpreso de ver que em geral os pequenos problemas e conflitos do dia se dissolvem e vão embora. A compaixão diária dá mais força ao seu amor e ao respeito mútuo do casal do que qualquer outra coisa. É confortante saber que alguém entende... especialmente você. Se conseguir manter e aprofundar a compaixão que sente por sua parceira, provavelmente terá um relacionamento rico e estimulante.

Também é importante ter compaixão por você mesmo, lembrar que você também é humano. Quando fizer alguma bobagem, cometer um erro, disser algo que não deve, perder o controle ou simplesmente tiver um dia muito ruim, seja bondoso com você mesmo. Dê uma chance para você. Suavize suas reações lembrando que você só pode fazer o melhor que pode. Se oferecer a você mesmo amor e paciência, em vez de julgamentos severos, será capaz de tornar-se uma pessoa melhor em todos os sentidos.

36
APRIMORE O SEU RELACIONAMENTO

Existe uma crença generalizada de que a melhor hora de recorrer aos especialistas é quando seu relacionamento vai mal. Afinal, não há dúvida de que um bom psicólogo, pastor, padre, rabino, assistente social, terapeuta de casais ou qualquer outro profissional pode ser tremendamente útil em tempos difíceis.

Mas também acontece que esses profissionais e muitos outros (inclusive os menos tradicionais) podem servir muito bem para aprimorar o seu relacionamento, para dar um empurrão ou estimular o crescimento, a melhor comunicação e para aumentar o amor que sentem um pelo outro.

Muitos relacionamentos, mesmo os bons, podem estagnar ou virar hábito. É fácil achar que o outro não precisa mais ser conquistado ou perder aquela maravilhosa fagulha que existia no início. Isso não quer dizer que haja qualquer coisa errada no seu relacionamento, só que poderia ser ainda melhor. Muitas vezes uma pequena mudança no seu modo de pensar, uma mudança de atitude, uma dose de objetividade ou algumas dicas novas podem fazer uma enorme diferença.

Eu costumava dar cursos de felicidade que incluíam, entre outras coisas, dicas como as que você encontra nos meus livros. E eram freqüentados por casais que não tinham necessariamente algo de errado em seus relacionamentos, mas que queriam um aprimoramento. Um dos maiores elogios que eu recebia era quando as pessoas diziam: "Era exatamente disso que nós precisávamos." O que eles aprendiam era sempre muito simples, apenas uma pequena lembrança do que é preciso para ser uma pessoa feliz ou um casal feliz.

Vocês podem conseguir o mesmo tipo de impulso positivo assistindo juntos às aulas de técnicas de boa comunicação ou participando de um laboratório para ser um companheiro mais carinhoso, ou até assistindo juntos a uma palestra de uma hora do seu escritor ou conferencista preferido. Muitas livrarias promovem eventos gratuitos em que os escritores discursam um pouco antes de dar autógrafos. Há fitas com gravações de técnicas para relacionamentos que vocês podem comprar e depois ouvir juntos num momento tranqüilo. Se preferirem, podem ler um para o outro algum livro que sirva de inspiração para fortalecer a união de vocês. Mesmo algo simples assim pode proporcionar o impulso que vocês estão procurando. Fazer uma ou várias dessas coisas é reconhecer um para o outro que o seu relacionamento é importante, é afirmar que vocês querem continuar a crescer juntos.

Achamos muito bom vocês começarem a procurar novas maneiras de aprimorar seu relacionamento. É um jeito bom de passar um tempo juntos e quase sempre é muito divertido.

37

NÃO PERMITA QUE PENSAMENTOS EVENTUAIS SE TRANSFORMEM EM PROBLEMAS

Eu podia defender uma tese segundo a qual, em termos de aprender a não fazer tempestade em copo d'água nos seus relacionamentos, você ficaria muito bem se dominasse apenas essa estratégia, de tão poderosa e importante que ela é!

Milhares de pensamentos passam por nossas cabeças todos os dias. Esses pensamentos são formados por nossas idéias, planos, expectativas e lembranças, entre outras coisas. Alguns são alegres, muitos não são. Temos preocupações, medos, esperanças, previsões e, para a maioria de nós, muitos são confusos. Pensamos no passado e pensamos no futuro.

Conforme os pensamentos passam pela nossa cabeça, essencialmente uma dessas duas coisas pode acontecer. A primeira é que o seu pensamento pode ser passageiro. A maioria dos nossos pensamentos se enquadra nessa categoria. Temos tantos durante um dia que seria impossível, nada prático e extremamente confuso examinar cada um.

Por exemplo, enquanto estou dirigindo, posso pensar com meus botões: "Será que a Kris lembrou-se de responder ao convite para jantar?" Se não levar isso muito a sério e deixar passar, o pensamento vai embora num instante. Se for relevante, posso pensar em ligar para ela mais tarde para lembrar. Senão, provavelmente vou esquecê-lo completamente – ou ele voltará à minha mente em alguma outra hora. Depois surge outro pensamento em minha cabeça.

A outra possibilidade é manter esse pensamento na cabeça, para examiná-lo. Deixo-o bem "na minha cara", onde posso estudá-lo. Presto toda a atenção nele e o considero importante. Enquanto ele está lá na minha mente, posso pensar em exemplos de quando Kris esqueceu alguma coisa, momentos em que ela me garantiu que ia dar um telefonema por nós dois e não deu. Em questão de segundos, eu já fico um pouco irritado. Observe que a Kris nem está no carro comigo. Mas estou ficando mais frustrado a cada minuto que passa.

Você provavelmente pode perceber como é fácil criar um caso com praticamente qualquer coisa. Só precisa continuar prestando atenção no seu pensamento. Você pode especular que esses "esquecimentos" causam impacto em outras partes do seu relacionamento ou que há alguma coisa errada com a sua parceira. O problema é que se você não perceber de que forma sua própria linha de pensamento contribui para aumentar as questões que o afligem, então em breve o seu relacionamento estará cheio de conflitos, e sempre parecerá que é culpa da sua parceira.

Superficialmente você pode pensar que é engraçado que uma coisa tão pequena possa provocar um impacto negativo num relacionamento. E de certa forma é mesmo. Mas a verdade é que apesar dos detalhes serem diferentes, esse processo é extremamente comum e até um certo ponto acontece com todos nós.

É importante observar que uma pessoa pode ter um relacionamento com alguém muito mais esquecida do que a Kris, e mesmo assim não deixa que esse pensamento a incomode. Ele não finge que a parceira não é esquecida, mas apesar de preferir que ela não fosse tanto, não permite que seus pensamentos fujam ao seu controle. Em vez disso, ele descobre um jeito saudável de lidar com o fato.

A solução é ter boa vontade para aceitar o fato que muitos aborrecimentos são simples pensamentos eventuais que levamos a sério demais. Da próxima vez que você estiver irritado, verifique seus pensamentos. Veja se está se agarrando a algum em vez de simplesmente deixá-lo passar ou esquecê-lo. Se fizer isso, verá que a maioria dos conflitos do seu relacionamento vai começar a desaparecer. É claro que se alguma coisa é realmente importante, ela vai voltar. Nesse meio tempo, em vez de ficar brigando com esses problemas, pense em deixá-los ir para poder aplicar sua energia no convívio com seu parceiro ou parceira.

38

SEJA UM PARCEIRO DE MANUTENÇÃO SIMPLES

A maioria das pessoas diz que já recebeu dois tipos de hóspedes em casa. O primeiro pode ser chamado de hóspede de "manutenção complicada". São hóspedes que aparecem sem avisar e tomam conta da sua vida. Exigem atenção o tempo todo, usam seu carro e precisam ser entretidos constantemente. Senão, demonstram que estão entediados. Quando usam o telefone, esquecem de usar o cartão de crédito. Dominam o seu tempo e exigem que vocês passem praticamente todos os minutos juntos, inclusive todas as refeições. Quando estão na sua casa, você se descobre desejando desesperadamente um pouco de espaço e solidão. Não dão qualquer sinal de independência e ficam desapontados quando você tem o que fazer. Apesar de poder gostar muito deles, você passa a temer a sua chegada e, depois que chegam, conta os dias até a sua partida.

O outro tipo de hóspede pode ser chamado de "manutenção simples". Esses hóspedes são maravilhosos. Vocês passam muito tempo juntos, rindo e conversando, mas há momentos em que nem percebe que eles estão lá. Não criam problema. Deixam perfeitamente claro que você não precisa "fazer sala" para eles em momento algum. Na verdade, eles demonstram que têm bastante coisa para fazer. Valorizam os momentos que passam com você, mas não nutrem expectativas exageradas. Resumindo, não dão trabalho algum.

Uma distinção bem semelhante pode ser feita nos relacionamentos mais íntimos. De um lado ficam as pessoas de manutenção complicada. Essas pessoas em geral são exigentes e carentes, precisam de muita atenção. Ficam aborrecidas a maior parte do tempo e normalmente deixam isso bem claro. Precisam de cuidados e que você providencie entretenimento para elas. Muitas vezes são ciumentas e inseguras. Por isso, quando você tem de dar atenção a outras coisas ou não tem tempo para ficar com elas, exigem uma explicação. Essas pessoas ficam "no seu pé" o tempo todo. Não são realmente independentes. Podem ser pessoas boas, mas dão um trabalho enorme.

Do outro lado estão as pessoas de manutenção simples. São pessoas de fácil convívio, em todos os sentidos. Raramente são carentes ou exigentes e têm sensibilidade suficiente para saber que por mais importantes que sejam para seus parceiros, não são o centro do universo. São muito independentes e sabem que a maioria das pessoas precisa de espaço. São abertas e adoram dividir, mas não passam muito tempo reclamando das mazelas do mundo. Adoram o tempo que passam com seus parceiros mas são compreensíveis quando não é possível estar junto.

É claro que a maioria de nós fica mais ou menos no meio. Provavelmente ninguém é totalmente de fácil manutenção e, felizmente, pouca gente se enquadra no outro extremo. Mas quando nos lembramos da leveza de um lado da balança e do peso e do esforço associados ao outro lado, fica bastante óbvio que ampliamos as chances de ter um relacionamento alegre e amoroso se formos um parceiro com manutenção mais fácil ainda do que já somos.

Todos nós sabemos que a vida pode ser muito dura. O ideal é que o nosso relacionamento seja uma parte da vida que funciona como um santuário, uma sociedade que é mutuamente estimulante e enriquecedora, tanto espiritual quanto emocionalmente. Um bom relacionamento torna a vida um pouco mais fácil e não mais complicada, cheia de exigências e da necessidade de estar sempre dando explicações.

É inevitável que algumas características da pessoa de manutenção complicada apareçam de vez em quando em todo relacionamento. Certamente acontece no nosso. Não faz mal! Não são a carência, insegurança ou implicância ocasionais que vão interferir na qualidade do seu relacionamento, e sim o padrão de comportamento contínuo que se transforma numa sobrecarga. Por isso, analise sinceramente. Se você pesar um pouco na balança, não faz mal. Mas se fizer algumas mudanças pequenas, por menores que sejam, seu parceiro ou parceira começará a notar e a apreciar. Achamos que você vai descobrir que será mais fácil e menos estressante (para os dois) se conseguir ser um companheiro ou companheira de fácil manutenção.

39
FAÇA DO SEU MODO

É óbvio que todo relacionamento é único. Somos todos diferentes. Cada um de nós leva para o relacionamento a própria história, os planos, os medos, os sonhos, as decepções e as expectativas. Sentimos atração por coisas diferentes e outras tantas nos incomodam. Todos tivemos pelo menos algumas experiências dolorosas que moldaram a nossa personalidade e, esperamos, muitas felizes também. Coisas diferentes acionam os nossos botões.

Mas apesar de cada relacionamento ter um molde diferente, muitas pessoas tendem a agir como se a relação tivesse de caber em um certo molde, como se tivessem de ser como todo mundo. Isso é ruim porque pode criar uma barreira entre o que você sabe que é verdade para você e como resolve viver sua vida. Também pode impedir que você siga a própria felicidade e descubra a alegria e a riqueza da vida a dois. Pode afetar negativamente o seu relacionamento de várias maneiras, desde as mais comuns (por exemplo, fazer com que você freqüente festas quando na verdade não quer isso) até as muito sérias (por exemplo, a igreja que você acha que deve freqüentar para manter a paz na família).

Uma observação consistente que fizemos é que casais felizes e satisfeitos tendem a fazer as coisas do seu modo e criar o próprio conjunto de regras. Em vez de olhar em volta para ver se estão sendo aprovados pelos outros, amigos, vizinhos, membros da família, eles descobrem por eles mesmos o que lhes dá alegria e vivem suas vidas do seu jeito. Conseqüentemente são mais felizes e têm mais paz interior individualmente e como casal. O respeito pelas diferenças e pelas diversas formas de fazer as coisas também cria uma atitude mais respeitosa em relação aos outros. Isso, por sua vez, ajuda a aprofundar uma postura de compaixão e de amor por toda a humanidade.

Nós dois sempre fizemos as coisas um pouco diferentes de muitos casais que amamos e respeitamos. Por exemplo, dividimos as responsabilidades em casa com nossas filhas e não nos prendemos a papéis específicos. Quase nenhum dos nossos amigos faz isso, mas de vez em quando gostamos de tirar férias separados. Temos amigos do sexo oposto e não sentimos ciúme, uma coisa que muitos amigos não entendem. Não temos sensação de culpa de deixar nossas filhas com ótimas babás para poder aproveitar a companhia um do outro, filosofia bem diferente de muitos pais maravilhosos, inclusive alguns das nossas famílias. Somos fiéis ao nosso caminho espiritual individual, que difere um pouco da opção de muitas pessoas que amamos.

Descobrimos que apesar de muitas vezes os outros não compreenderem ou até tentarem nos manipular através da sensação de culpa para mudar ou fazer as coisas de outro modo, sabemos que fazer as coisas do nosso jeito é melhor para nós. É claro que podemos aprender com os outros e estamos sempre abertos para mudar o jeito de fazer as coisas se houver um jeito melhor, mas não simplesmente porque não achamos que somos aceitos ou que alguém está decepcionado conosco. Nosso compromisso é com a bondade, a gentileza e o amor que temos um pelo outro e pelas pessoas neste mundo. E apesar de certamente não corresponder aos nossos ideais algumas vezes, resolvemos que no fim das contas só *nós* podemos decidir como conseguir isso.

Como acreditamos que precisamos fazer as coisas do nosso modo, também achamos extremamente fácil respeitar a opinião dos outros. Isso torna mais fácil para nós termos amigos entre todos os tipos de pessoas, respeitando e vivenciando as nossas diferenças. Isso faz com que nossos conflitos sejam mínimos e nossas frustrações permaneçam sob controle.

Essa mesma filosofia se aplica a nós dois como um casal. Somos sócios para a vida toda e compartilhamos muita coisa, mas fazemos muitas coisas de modos diferentes e temos muitas preferências diferentes também. Como respeitamos isso, não nos aborrecemos, não ficamos irritados, incomodados ou de mau humor um com o outro simplesmente por sermos diferentes.

É fácil cair na armadilha de comparar o seu relacionamento com o dos outros ou pensar se vocês estão atendendo às expectativas deles ou não. Mas um relacionamento feliz é aquele que vocês criam, e é exclusivamente de vocês dois. Esperamos que vocês respeitem seu modo de fazer as coisas e descubram o que é melhor para vocês.

40

ACORDE E PENSE EM TRÊS COISAS QUE GOSTA NA SUA COMPANHEIRA

Correndo o risco de parecer piegas, essa estratégia realmente funciona. Descobri que é quase impossível ficar muito tenso ou fazer tempestade em copo d'água com a sua parceira se recentemente você lembrou por que a ama tanto. Isso vale para a namorada que mora em outra cidade e para vocês que são casados e moram juntos.

Darei um exemplo pessoal que demonstra como isso é realmente prático. Alguns dias atrás eu acordei e lembrei como Kris ilumina a vida dos outros com seu lindo sorriso. Ela está sempre sorrindo e sendo gentil com todo mundo, até com estranhos. Acho que nunca fui pegá-la no aeroporto sem que ela tivesse feito uma nova amizade no avião! Isso me levou ao segundo pensamento amoroso sobre ela. Lembrei-me de quantas vezes eu estava aborrecido com alguma coisa e ela me fez relaxar dizendo: "Isso é apenas um copo d'água." Mais do que a maioria das pessoas, ela sabe como não ficar nervosa demais com as pequenas coisas. O último pensamento que tive antes de sair da cama foi sobre uma atividade que uma das nossas filhas ia fazer mais tarde naquele dia. Especificamente o que pensei foi: "Ainda bem que a Kris está disposta e pode preparar as meninas para esse tipo de coisas." Quase ri alto pensando como ficariam diferentes as roupas e os cabelos das nossas duas filhas se eu assumisse essa responsabilidade.

Então foi isso – três das muitas coisas que gosto na Kris. O processo todo durou cerca de um ou dois minutos, mas preparou o palco para o resto do dia. O que eu quero dizer é o seguinte:

Saí para pegar o jornal e notei que Kris tinha deixado a porta do carro dela destrancada com a bolsa e as chaves no banco da frente, uma das coisas que mais me aborrecem. Ela confia tanto que nem sempre se lembra da segurança. Mas é aí que a coisa fica interessante. Como a minha cabeça estava cheia de pensamentos carinhosos sobre a Kris, eu revirei os olhos e dei de ombros. Não era nada sério, não havia razão para criar um caso. Nem pensei mais nisso. Não me esforcei para não pensar mais nisso, simplesmente não me afetou.

O resto da história é pura especulação, mas posso adivinhar o que poderia ter acontecido se meus pensamentos tomassem outra direção. A questão é, qual teria sido a minha reação diante da porta destrancada se tivesse acordado sem pensar naquelas coisas positivas? Ou então, pior ainda, o que teria acontecido se eu acordasse e na mesma hora começasse a pensar, como muita gente faz, nas minhas inúmeras responsabilidades, até ficar estressado? É quase uma pergunta retórica. A resposta é óbvia – eu teria ficado aborrecido e irritado.

Não quero dizer que se você pensar em algumas coisas que gosta na sua parceira logo que despertar, nunca mais ficará irritado ou aborrecido. Mas vai reduzir substancialmente a probabilidade de isso acontecer. E mesmo quando você se aborrecer, não será tão sério. Essa estratégia é rápida, simples, eficiente e não requer praticamente esforço algum. E mais ainda, é uma sensação boa. Você ficará surpreso de ver como será fácil parar de fazer tempestade em copo d'água no amor!

41

ESCOLHA A PAZ EM VEZ DO ABORRECIMENTO

Até hoje ainda fico surpreso e encantado com a eficiência dessa estratégia simples mas poderosa. Toda vez que lembro que tenho essa opção, sou recompensado com menos irritação e frustração, além de momentos adicionais de harmonia no meu relacionamento.

Todo momento é como se estivéssemos diante de uma encruzilhada emocional no caminho. Uma coisa acontece e é seguida pela nossa escolha de reagir ou responder. Infelizmente na maioria das vezes parece que não temos opção, porque normalmente reagimos muito rápido e por força do hábito. Nossas reações parecem ter vida própria e acontecem quase que instantaneamente, como se estivessem fora do nosso controle. E achamos apropriado sentir e agir com irritação quando acontece alguma coisa que nos desagrada.

Mas prestando um pouco mais de atenção, você vai notar que na verdade pode escolher. Em vez de reagir como sempre faz, você tem o poder e a capacidade de responder de um modo diferente. E isso é muito importante porque se não estiver disposto a fazer essa opção, você ficará frustrado toda vez que a sua parceira for menos do que perfeita.

Um amigo meu contou a seguinte história: Ele tinha concordado em encontrar a mulher dele numa loja de departamentos para fazer umas compras. Foi idéia dela, não dele. E ele reprogramou seu dia para atender ao horário dela.

O problema foi que ele chegou na hora marcada e ela não. Ficou esperando quase meia hora e já estava começando a "ficar furioso". Sua mente começou a se encher de todo tipo de pensamentos negativos, juízos de valor, raiva, decepção e estresse. Ele começou a lembrar-se de outras vezes em que ela tinha feito coisa semelhante. E foi ficando realmente irritado.

Então percebeu uma coisa, sem mais nem menos. Descobriu que podia continuar a encher sua cabeça de coisas negativas e aborrecimento como tinha feito tantas vezes no passado ou então poderia escolher a paz. Naquele momento tudo pareceu muito simples. Era verdade que sua mulher estava atrasada, mas a irritação existia dentro da sua própria cabeça. Era *ele* que estava sofrendo. Lembrou que a sua paz e sanidade mental, além da qualidade do seu casamento, eram muito mais importantes do que encher a cabeça com raiva e continuar se justificando pensando que "tinha o direito de estar zangado". Ele parou de ter esses pensamentos negativos e resolveu dar uma olhada na loja, esperando pacientemente. Resolveu não fazer tempestade em copo d'água.

Em poucos minutos a mulher dele entrou na loja numa corrida desabalada. Esperava que ele estivesse zangado e que fizesse um sermão bem aborrecido. Ela ficou chocada com o comportamento verdadeiramente calmo do marido. Ele escolheu a paz em vez do aborrecimento. Em vez de sentir raiva, ele teve compaixão. Como agiu sinceramente, sem reclamar, ela pediu desculpas e afirmou que estava constrangida de tê-lo feito esperar tanto tempo. O pedido de desculpas foi sincero.

O que poderia ter se transformado facilmente numa discussão amarga pelo poder virou uma tarde tranqüila de união e um reforço positivo da importância do relacionamento dos dois. Ele se sentiu poderoso, sabendo que tinha feito uma escolha carinhosa e pacífica em vez de sucumbir às suas reações normais. E ela sentiu um respeito e uma gratidão enormes pela boa vontade do marido de deixar passar seu erro. Graças a essa escolha, a experiência uniu os dois ainda mais.

Essa mesma escolha existe em praticamente todas as situações. Dezenas de vezes por dia as coisas dão errado ou a vida não é como deveria ser naquele momento. Especialmente quando é a sua parceira fazendo alguma coisa de que você não gosta, ou qualquer outra situação, trata-se de mais uma chance para você praticar a compaixão de deixar isso para lá, uma chance de escolher a paz no lugar do aborrecimento. Não quer dizer que está aceitando um mau comportamento ou que não se importa quando as coisas dão errado. Simplesmente significa que você resolveu que é melhor ficar em paz. Não há dúvida de que se você fizer essa escolha sempre que puder, vocês dois e o seu relacionamento serão grandemente beneficiados.

42

NÃO FAÇA TEMPESTADE EM COPO D'ÁGUA POR UMA CRÍTICA OCASIONAL

Às vezes, quando alguém é criticado, chegamos a imaginar que estamos no meio de uma crise nacional, dada a intensidade da reação. Muita gente fica tão aborrecida quando recebe uma crítica, especialmente do parceiro ou parceira, que além de ficar na defensiva e ter uma reação exagerada, revida ou até se descontrola por completo. Mas se você encarar as críticas de uma forma realista, e com um pouco de objetividade, achamos que vai concordar que, na verdade, não são tão graves assim.

O fato é que nenhum de nós está livre do resto da humanidade. Todos nós teremos nossa cota de críticas durante a vida. E se temos um relacionamento amoroso, pelo menos uma parte dessas críticas virá do seu parceiro ou parceira. É inevitável, porque nosso companheiro ou companheira passa muito tempo conosco. Eles nos vêem nos melhores e nos piores dias. Eles conhecem (e em geral são testemunhas) nossos defeitos e nossas qualidades. Às vezes estamos com nossos parceiros em momentos de depressão, quando ficamos mais suscetíveis às críticas. Se formos sinceros, provavelmente vamos admitir que também é nessas horas que mais desferimos críticas.

Além do mais, estamos com nossos parceiros quando eles estão deprimidos e também espalham mais críticas. Vamos encarar os fatos. O nosso parceiro ou parceira sabe como apertar nossos botões e faz parte da natureza humana apertá-los de vez em quando, se você não está nos seus melhores dias. Por isso, é irreal, provavelmente um pouco injusto também, esperar que o seu companheiro ou companheira não critique você de vez em quando. Isso faz parte de qualquer relacionamento.

Quando criticamos alguém isso não quer dizer que não amamos essa pessoa. E também não significa que não respeitamos e admiramos essa pessoa. A crítica é apenas algo que as pessoas fazem por diversos motivos. Às vezes criticamos por hábito. Outras vezes porque estamos frustrados, confusos, estressados ou inseguros. De vez em quando até criticamos porque vemos uma falha que realmente precisa ser consertada. Ou seja, nem toda crítica é injusta. Muitas vezes é construtiva, e até útil.

A melhor maneira de lidar com as críticas ocasionais é fazer concessões a elas e aceitar o fato de serem dirigidas a você de tempos em tempos. De certa forma você deve esperar isso. É como a chuva. Você sabe que ela virá, só não sabe exatamente quando e em que circunstâncias. E assim como você não se enfurece contra a chuva – simplesmente abre um guarda-chuva e aceita –, não precisa se preocupar com pequenas quantidades de críticas. Só tem de aceitar que elas existem... e esquecê-las.

Muitas vezes, quando adotamos essa postura mais filosófica e não ficamos na defensiva quando somos criticados, as críticas parecem acontecer com freqüência cada vez menor e, quando acontecem, desaparecem bem mais depressa. Por algum motivo, a crítica se alimenta da postura defensiva. Quando você reage, é como se a pessoa que está criticando sentisse que a crítica está sendo justificada e a necessidade de criticar continua. Por outro lado, quando você deixa passar sem se encrespar muito, a urgência e a necessidade de criticar desaparecem na distância.

Gale me disse que o marido dela era uma pessoa muito boa, mas que às vezes criticava nela o que ele chamava de "sua incapacidade de compreender a tecnologia". Parece que ele gostava de trabalhar com computadores e não entendia por que era tão difícil para Gale aprender. Perguntei com que freqüência ele expressava essas críticas e ela disse: "Provavelmente três ou quatro vezes por mês." Eu perguntei como Gale costumava encarar esses comentários do marido. Ela disse que normalmente procurava se defender e se sentia magoada. Também garantiu que discutiu o problema com o marido diversas vezes, mas que ele simplesmente não parava de fazer isso.

Expliquei para ela a essência desta estratégia e ela admitiu que apesar de jamais ter considerado uma atitude tão "passiva", entendia a lógica e certamente ia experimentar.

Cerca de um mês depois, recebi uma mensagem muito simpática de Gale dizendo que aprender a não reagir às críticas do marido tinha sido uma das coisas mais fáceis que fez na vida. Ela resolveu "reestruturar" os comentários dele de modo que cada vez que ele começasse a criticá-la, ela lembrasse que o que ele realmente queria dizer era que queria o bem dela e que ela se beneficiasse com as facilidades trazidas pela tecnologia. Em vez de resistir às palavras dele, em vez de revidar e de dar-lhe algo em que se apoiar, ela simplesmente concordava e dizia algo como: "Você está certo, querido, eu devia mesmo aprender." O fato de Gale não reagir era como uma ducha de água tão fria que ele parava num segundo. Num certo momento ele levantou as mãos e disse, dando uma risadinha: "De que adianta?"

Gale transformou as críticas do marido num jogo. E começou a aprender a ganhar esse jogo! É isso aí, não é nada complicado. Não existem técnicas mirabolantes nem questões psicológicas para discutir ou memorizar, apenas um pouco de objetividade, disposição para compreender a inocência nas críticas e um pouquinho de senso de humor. Não há como provar, mas eu acho que se ela continuasse a reagir se defendendo e levando tudo muito a sério, as críticas continuariam até hoje. Só que como ela tomou essa atitude, desapareceram rapidamente.

Mesmo se as críticas do seu parceiro ou parceira forem mais sérias ou se acontecerem com uma freqüência maior, essa estratégia pode diminuir o sofrimento. Sem a sua reação haverá menos energia para alimentar as críticas. Não as leve tão a sério e elas começarão a desaparecer.

43
SEJA SEMPRE BRINCALHÃO

Um dos elogios mais gratificantes que nós dois, como casal, já recebemos, se bem me lembro, partiu de alguém que nem conhecemos pessoalmente. Estávamos sentados num cinema, esperando a sessão começar. Sussurrávamos, fazíamos brincadeiras, dávamos risadas e nos divertíamos muito.

Ouvi uma mulher atrás de nós murmurar para o marido: “Olha só esses dois, devem estar no começo do namoro. Você se lembra de quando nos conhecemos, quando éramos assim também?” Na época estávamos casados havia treze anos!

Quando penso nas coisas de que mais gosto em nosso relacionamento, o que mais sobressai é o fato de que ainda brincamos muito, mesmo depois de tantos anos juntos. Raramente nos levamos muito a sério. Em geral, as únicas ocasiões em que ficamos frustrados um com o outro são exatamente quando agimos assim.

Ao lembrar-me de todos os casais que conheci nesses anos todos, a grande maioria dos casais felizes é brincalhona, uns mais, outros menos. Eles sabem ser sérios de outras maneiras, em seus relacionamentos possuem a capacidade de bancar os bobos, sem exagero e não o tempo todo, mas com um certo grau de despreocupação. Passam bastante tempo rindo juntos e um do outro. Não levam os hábitos, as manias ou as imperfeições do outro muito a sério. E quando o fazem, não é por muito tempo. Esta atitude despreocupada evita que fiquem na defensiva, que sejam combativos, que alimentem discussões, e mantém as expectativas em relação ao outro sob controle e num nível razoável. Isto também os ajuda a manter a objetividade para agirem como uma equipe e continuarem bons amigos. Descobrimos que quando somos brincalhões e temos senso de humor, é quase impossível fazer tempestade em copo d'água!

Por outro lado, quando penso nos casais que conheci que parecem ter problemas e não serem muito felizes juntos, concluo que são invariavelmente sérios demais. Na maioria das vezes não são capazes de dar risada juntos. De modo algum se permitem parecer bobos ou brincalhões. A vida, inclusive o relacionamento deles, é "um negócio muito sério". Isso se traduz em comunicação sempre na defensiva, em implicâncias, aborrecimentos e brigas pelo poder. Quando somos sérios demais, tudo parece importante e é fácil fazer tempestade em copo d'água.

A melhor maneira de ser mais brincalhão é se levando menos a sério. Seja mais leve. Permita-se algum divertimento e pare de se preocupar tanto com o que as outras pessoas pensam sobre você ou como você parecerá aos olhos alheios.

Muitas pessoas cometem o erro de pensar que serão brincalhonas "mais tarde", depois de cuidar de todos os negócios e quando todos os seus problemas estiverem resolvidos, mas que por enquanto precisam ser sérias. O problema é que nossos "negócios" nunca estarão terminados, teremos sempre problemas, e temos sempre de cuidar de alguma coisa. Por isso, não espere até ser tarde demais. A vida é curta; seja brincalhão agora.

44
PARE DE ENSAIAR A INFELICIDADE

Implementar essa estratégia pode ser um pouco complicado, mas, quando você aprende, ela tem o poder de aprimorar e até de transformar o seu relacionamento. Os benefícios que você terá são notáveis e acontecem quase que imediatamente.

Eis um exemplo de como funciona: Kelly está indo para a casa do namorado de carro. Ela lembra uma discussão que os dois tiveram algumas semanas antes. Enquanto lembra o incidente, ela "repassa tudo o que aconteceu", quase como se estivesse ocorrendo bem ali no carro. Ela descobre que o namorado estava sendo desnecessariamente teimoso, talvez até um pouco cruel. Lembra que ele fez algo parecido numa festa no mês anterior. A dúvida começa a dominar sua mente. Começa a imaginar se ele é o cara certo, afinal. Em alguns minutos, ela já está um pouco zangada e pensa: "É melhor ele não fazer isso de novo esta noite." Quando chega ao apartamento dele, sente-se um pouco distante. Nada muito sério, mas suficiente para modificar o modo que ela encara aquela noite e o relacionamento dos dois.

Costumamos nos referir a esse tipo de diálogo interior como um "ataque de pensamentos" porque, num certo sentido, é isso mesmo: os seus pensamentos atacando você. Dizemos que é complicado, porque na maioria das vezes você nem se dá conta de que está fazendo isso. Pensamentos como esses acontecem tão depressa e com tanta freqüência que a maioria de nós nem percebe o que está acontecendo. E é exatamente esse o problema! Ficamos perdidos em nossos pensamentos da mesma forma que podemos nos perder num filme ou num bom livro. Às vezes, como a Kelly, a maioria de nós confunde alguns pensamentos negativos inofensivos com um problema sério em nosso relacionamento. A conseqüência é que em vez de desprezarmos esses pensamentos e reagirmos a cada momento à medida que vai surgindo, descarregamos a nossa frustração, por nós mesmos criada, em cima do nosso parceiro ou parceira, como se ele ou ela fosse o problema real. E, apesar de ser possível que exista de fato um problema, nossa mente tende a exagerar demais as coisas.

Um ataque de pensamentos pode ser sobre praticamente qualquer coisa e pode acontecer em qualquer lugar, a qualquer hora – no chuveiro, quando tentamos dormir, num avião, quando levamos o cachorro para passear, quando estamos limpando a casa, no trabalho e em qualquer outro lugar. Os ataques de pensamentos podem ser especificamente sobre o que há de errado no relacionamento, as suas carências que não estão sendo atendidas, ou um medo ou suspeita que esteja em sua cabeça. As pessoas nos contaram que tiveram ataques de pensamentos sobre o fato de o parceiro não estar fazendo a sua parte. Outras revivem cenários piorados de discussões pendentes, as implicações de terem cada vez menos vontade de fazer sexo, ressentimentos quanto à falta de capacidade do parceiro de obter uma renda adequada e assim por diante.

É claro que não estamos sugerindo que pensar sobre o seu relacionamento, suas preocupações, sonhos, conflitos ou planos, seja errado. Na verdade, fazer isso em geral é importante, útil e estimulante. Mas existe uma diferença enorme entre pensar intencionalmente sobre alguma coisa – sabendo o que você está fazendo – e ser refém dos seus pensamentos, vítima de um doloroso ataque de pensamentos, sem nem ter idéia do que está havendo.

A solução é simples, mas não é fácil. Você só precisa ter consciência de que está se envolvendo nesses perigosos ataques de pensamentos. A idéia é ver o que está acontecendo, na hora em que acontece. Você se observa como pensador. Quando descobre, o resto é fácil. Simplesmente deixa os pensamentos de lado, esquece, não pensa mais nisso. Pode pensar assim, "Ih, lá vou eu de novo", ou algo parecido, algum tipo de reconhecimento simples de que sabe que está fazendo isso. Com o tempo, vai ficando cada vez mais fácil e você percebe muito mais depressa. Em vez de se envolver numa conversa íntima de dez minutos, você passa a observar que esse diálogo está acontecendo segundos depois de começar. Então você pode decidir se pensa nessa questão ou se simplesmente deixa para lá. Em vez de cair na armadilha, você tem uma opção.

Muitas pessoas revelaram que essa foi a descoberta mais simples e mais útil que já fizeram sobre elas mesmas – a idéia de que realmente praticam a infelicidade, ou prejudicam seus relacionamentos, sem nem ao menos saber, "ensaiando a infelicidade" mentalmente. Sem a distração constante dos negativos ensaios mentais, o que normalmente sobra é o amor e o respeito que você sente pelo seu parceiro ou parceira.

Depois que começar a cortar esse problema pela raiz, você vai notar que muito mais paz e felicidade surgirão em seu relacionamento. Em vez de dar importância aos seus pensamentos negativos, você pode gastar essa energia pensando nos aspectos mais positivos do seu relacionamento. Esperamos que você experimente essa estratégia. É divertida e extremamente eficiente, e pode simplesmente modificar a sua vida.

45

NÃO SEJA O HERÓI DE TODAS AS HISTÓRIAS

A maioria de nós adora contar histórias. Todos gostamos de conversar sobre alguma coisa que aconteceu conosco, algo que sentimos, observamos, alguma esperança ou sucesso e realização. Pode até ser gratificante partilhar nossos fracassos, erros e enganos. Partilhar é uma das formas mais óbvias que duas pessoas têm para se tornarem (ou continuarem) próximas e íntimas. Também é uma forma de permanecer ligado e interessado um no outro.

No entanto, existe um hábito de comunicação, que devemos detectar, tão insidioso que parece permear a maioria dos relacionamentos, pelo menos uma parte do tempo. Esse hábito é a necessidade de ser o herói de todas as histórias.

Eu estava sentado num restaurante em Nova York, esperando um amigo que estava atrasado. À mesa ao meu lado havia um casal de jovens, cerca de vinte anos, que pareciam namorados.

Em três ocasiões diferentes a jovem tentou contar uma história sobre alguma experiência dela. A primeira era sobre alguém que tinha sido grosseiro com ela naquele dia. Depois ela expressou sua frustração porque seu trabalho andava muito estressante e exigente. Finalmente, ela contou uma história lacrimejante sobre os pais nunca lhe darem ouvidos quando era pequena.

A primeira história terminou quando o rapaz começou a insistir que o motorista do táxi que havia pegado aquela manhã tinha sido muito mais grosseiro do que a pessoa que foi rude com ela. Afinal, ele disse: "Ele foi o pior que eu já vi." A segunda história terminou mais de repente ainda quando ele descreveu o próprio trabalho como sendo um dos mais estressantes que se pode imaginar. A última história acabou com a descrição emocional que ele fez dos pais que, nas palavras dele mesmo, "o violentaram emocionalmente".

Olhei nos olhos da jovem e vi que estavam quase sem vida. O desapontamento era óbvio. Toda vez que ela tentou partilhar alguma coisa que era dela, ele veio com uma história mais significativa que tinha relação com ele mesmo. Nada que ela dizia era bom o bastante. Eu pude imaginar sua decepção, talvez até a dor de saber que mais um homem provava que não estava disposto a simplesmente ouvir e deixar que ela fosse a heroína das próprias histórias.

É difícil articular essa estratégia porque em geral é muito sutil. Tenho certeza de que esse homem não pretendia fazer mal algum. Na verdade, até acho que, sob o ponto de vista dele, estava simplesmente conversando com a moça, numa troca de informações. Infelizmente ele não percebeu que estava roubando as idéias da namorada. Por menos intencional que possa ter sido, ele estava dizendo para ela, com suas respostas, que ela não era suficientemente importante ou suficientemente interessante. Ela precisava dos enfeites dele para suas histórias criarem vida. Nenhuma vez ele disse (ou insinuou): "Nossa, que história!" ou "Puxa, isso deve ter sido duro".

Certamente devemos ter feito isso um com o outro de vez em quando e espero que tenhamos aprendido com nossos erros. O que sugerimos é o seguinte: sempre que possível, procure evitar a edição, correção e até os adendos às histórias do seu companheiro ou companheira. Mais importante ainda, não traga a história para você dizendo: "Isso não é nada, veja só o que aconteceu comigo." Fazendo isso você está menosprezando a história, fazendo a afirmação silenciosa de que a história não era suficientemente boa, suficientemente significativa ou suficientemente importante para se manter nas próprias pernas. Que precisava da sua contribuição para ser completa. Apesar de você não ter a intenção de causar qualquer mal, isso representa uma mensagem que diz que você está mais interessado na sua parte da história, que não está ouvindo nem apreciando a conversa do seu companheiro ou companheira.

Se você conseguir implementar essa estratégia, pelo menos a maior parte do tempo, provavelmente vai observar uma mudança no entusiasmo e na disposição do seu parceiro ou parceira. Ele ou ela poderá mais uma vez ter o prazer de partilhar as coisas com você. E como você estará ouvindo atentamente, aumentará as chances do seu parceiro ou parceira também querer ouvir atentamente o que você tem a dizer. Vocês dois vão se divertir muito mais e curtir a companhia um do outro como nunca.

46
ASSUMA O COMPROMISSO DE COMEÇAR DO ZERO

Não importa se vocês acabaram de se conhecer ou de se apaixonar – ou se estão juntos há muitos anos. Pode ser tremendamente útil "assumir o compromisso de começar do zero". Essa é a versão da "tábula rasa" no relacionamento, fazendo do hoje, em vez do ontem ou do amanhã, o dia mais importante de suas vidas juntos.

Assumir o compromisso de começar do zero significa tomar a decisão de esquecer todas as preocupações, arrependimentos e decepções do seu passado, assim como todas as suas expectativas em relação ao futuro. O hoje se transforma no ponto focal do seu relacionamento. Esse dia se torna mais importante do que erros do passado ou planos para o futuro. Você pára de comparar o hoje com dias que já se foram – ou com suas esperanças de um amanhã melhor. Você faz a seguinte pergunta: "Como posso transformar esse dia de hoje no melhor dia possível?" A resposta para essa simples pergunta se torna a chave de uma união profunda e amorosa.

Já disseram que "ontem é apenas um sonho, amanhã uma fantasia". Mas hoje é a realidade – o único dia garantido que é seu. A boa notícia é que você tem a capacidade de transformar os preciosos momentos do dia de hoje em tudo que eles podem ser. Você faz isso deixando de lado seus pensamentos sobre o passado e adiando suas reações ao amanhã até que elas também se transformem em hoje. O segredo é perdoar o seu passado, ter menos medo do futuro e abençoar a dádiva que é o dia de hoje.

É fácil entender por que essa é uma decisão sábia, que pode pôr seu relacionamento em terreno firme ou dar-lhe uma nova vida. Se, por exemplo, vocês acabaram de se conhecer, pode ser tentador esperar que toda vez que estiverem juntos seja como a última vez ou que a mágica que vocês sentem deve permanecer para sempre.

Evitar essa tendência é muito difícil. Faz parte da natureza humana querer que os momentos bons ou emocionantes continuem iguais, apegar-se às boas sensações. Se o seu parceiro é muito atencioso, por exemplo, se parece interessado em tudo o que você diz, quase como se você fosse a única pessoa no mundo, a sensação é maravilhosa. Quem não gostaria de ser tratado assim? No entanto, uma das leis da natureza (e dos relacionamentos) é a mudança – o fato de que nada (de bom ou ruim) permanece igual. Isso não significa que o amor e o respeito que sentem um pelo outro não ficarão mais profundos, mais ricos e até mais satisfatórios. Simplesmente significa que a experiência de hoje jamais será igual à de ontem. Se você resistir e não encarar essa realidade, vai acabar inevitavelmente desapontado, querendo as experiências do passado, exigindo que a sua parceira seja a mesma. Mas se compreender isso, ficará livre para curtir seu parceiro ou sua parceira cada um e todos os dias.

Se vocês estão juntos há muito tempo e estão enfrentando algum problema, o mesmo princípio se aplica, de uma forma um pouco diferente. Se você espera que os momentos presentes do seu relacionamento sejam os mesmos que foram (de alguma forma difíceis), as suas expectativas manterão sua insatisfação bem viva. Seu relacionamento ficará preso ao passado. Mas se, por outro lado, você conseguir deixar o passado para trás, libertar-se dele, dos seus ressentimentos, julgamentos de valor, preocupações, raiva, tédio e frustrações, estará abrindo a porta para um novo começo. Estará assumindo o compromisso de começar do zero.

O que é bom nessa estratégia é que é fácil e realmente funciona. Os momentos presentes da sua vida são especiais e poderosos. Mergulhando neles, você dá a você mesmo a capacidade de tornar todos os dias os melhores dias da sua vida.

47
EVITEM CORRIGIR UM AO OUTRO

Estávamos no saguão de uma academia, quando uma mulher disse para o marido: "Vejo você mais tarde, querido. Tenho de ir para casa porque quero fazer aquele cozido que você e as crianças gostam tanto. Leva mais de uma hora para preparar e quero ter tempo de sobra." Quando ouvi isso, pensei com meus botões: "Que gentil." Mas meu coração doeu quando ouvi a resposta do marido. Sem nem pensar, ele disparou: "Não leva não. Você só precisa de cinqüenta minutos." Ai!

Mais ou menos uma semana depois estávamos num restaurante e ouvi um homem contar uma história para a mulher e outro casal numa mesa próxima. É claro que não prestei muita atenção aos detalhes, mas ele ficou falando bastante tempo. Só entendi a última frase, que ele disse dando uma risadinha de satisfação: "Estávamos nos preparando para sair quando umas dez pessoas apareceram na nossa frente." Pareceu um final interessante e tive vontade de ter ouvido a história toda. Mas antes dos amigos do casal pararem de dar risada, a mulher dele corrigiu: "Não eram dez pessoas, John, eram só seis."

É óbvio que esses são exemplos um tanto quanto antipáticos da tendência que muitas pessoas têm de corrigir os outros, especialmente as mais íntimas. Mas achamos que eram apropriados, porque demonstram como esse hábito pode ser desrespeitoso e potencialmente prejudicial para a qualidade de um relacionamento.

Nos dois casos e em tantos outros, a "correção" era absolutamente desnecessária. Se não era ignorância em relação aos efeitos danosos que a correção tem sobre a pessoa que é corrigida, e ao fato de acabar com a alegria de partilhar as coisas, a única motivação possível seria uma tentativa de ser especificamente cruel.

A mulher na academia estava pensando na família. Estava usando seu tempo precioso para expressar seu amor através da cozinha. Estava cheia de entusiasmo e orgulhosamente dividiu seu plano com o marido. Ele, por sua vez, a derrubou! Não há como saber por que ele disse o que disse. Imagino que não teve a intenção de magoar ninguém e que nem percebeu que estava dizendo aquilo. Mas pense só no que ela deve ter sentido. Que benefício esse comentário poderia trazer? Mesmo que ele estivesse tecnicamente correto quanto ao tempo que leva para fazer o cozido, e daí? Como é que estar "certo" pode ser tão mais importante do que proteger os sentimentos de alguém que você ama? Em vez de sentir o apreço dele, ela provavelmente se sentiu diminuída e desapontada.

O mesmo se aplica à mulher que corrigiu o marido na frente dos amigos no restaurante. Mais uma vez, se perguntássemos para ela, duvido muito que admitiria ter arruinado a história e o prazer dele, fazendo com que ele parecesse tolo, de propósito. Ao contrário, foi um golpe inocente porque ela não teve tempo para refletir sobre a natureza destrutiva do ato de corrigir alguém. Quem se importa com o número de pessoas que realmente passou à frente dele? Que diferença isso faz?

É claro que uma correção isolada não vai afetar tanto assim um relacionamento bom. Todos nós já fizemos isso mais de uma vez. E lembre que se o seu parceiro ou parceira corrige você de vez em quando, você não deve achar que é uma emergência! Porque não é. O objetivo aqui é parar de fazer tempestade em copo d'água, não se esqueça. No entanto, você deve imaginar por que uma pessoa ia querer continuar a contar suas histórias, seus sonhos, planos e aventuras para alguém que possui o hábito de ficar sempre corrigindo. Depois de um tempo, se alguém que você ama continua com as correções, você passa a ter mais cuidado e levanta a guarda, ficando talvez até meio distante.

A lição aqui é bem simples. Ninguém gosta de ser corrigido. Na verdade, a maioria das pessoas se ressente disso. Por isso, a menos que exista realmente uma boa razão ou se você estiver lidando com uma questão extremamente importante, é uma boa regra guardar suas correções para você mesmo. Seu parceiro ou parceira poderá contar as coisas para você com liberdade e abertamente, e isso vai ajudar a manter o seu relacionamento renovado e vivo.

48
FIQUE EM SILÊNCIO

Sem dúvida uma das formas mais simples, mais pacíficas e que nós achamos mais poderosas de manter uma união amorosa é praticar a arte de ficar junto, em silêncio. Essa bela prática, que raramente é utilizada, gera a compaixão um pelo outro e ao mesmo tempo reforça os elos que unem os dois.

Pense nos milhões de palavras que os casais devem trocar entre si durante o relacionamento. Conversas, discussões, negociações, planejamentos, lembranças, implicâncias e assim por diante. Poucos casais, independente dos anos que estão juntos, dedicam algum tempo ao silêncio a dois, sem dizer palavra. No entanto, essa comunicação silenciosa pode ser uma das coisas mais importantes que vocês fazem juntos. Também pode ser uma das formas mais poderosas e eficientes de comunicação.

A prática em si é extraordinariamente simples. Vocês só precisam sentar-se, um ao lado do outro, num lugar confortável. Podem se dar as mãos se quiserem, mas isso fica a seu critério. Então fechem os olhos e esvaziem suas mentes da melhor forma possível. Respirem juntos, lenta e tranqüilamente. Fiquem quietos, sentindo carinho um pelo outro. Podem fazer isso por alguns minutos ou mais tempo, se desejarem.

É uma mágica que acontece quando duas pessoas que compartilham uma ligação ficam juntas em silêncio. Vocês tendem a baixar as defesas e seus corações se abrem por completo. Quando abrem os olhos, sentem mais paz e mais amor, um pelo outro e também em relação a vocês mesmos. Qualquer atrito que possa haver entre vocês terá desaparecido ou pelo menos tenderá a acabar. Será mais fácil ver a inocência de cada um e amar seu parceiro ou parceira pelo que ele ou ela é, em vez de insistir em mudanças para atender às expectativas de cada um. Vocês descobrem que qualquer irritação que podiam estar sentindo – ou qualquer tendência que tivessem de fazer tempestades em copos d'água – vai desaparecer. Terão a sensação de estarem mais sábios e sentirão mais compaixão. Provavelmente terão vontade de sorrir.

Ficar juntos em silêncio transformou-se num dos marcos do nosso relacionamento. Não fazemos todos os dias e tampouco damos importância demais, mas conversamos bastante sobre isso. Simplesmente fazemos de vez em quando, porque é gostoso e mantém a nossa ligação de coração para coração. Normalmente praticamos isso de manhã, quando sentamos para tomar o café.

Muitas pessoas aprenderam que a "comunicação" é crucial para assegurar um bom relacionamento, e deve ser verdade. Mas é irônico pensar que uma das melhores maneiras, e mais amorosas, de se comunicar é sem dizer nem uma palavra. Por isso aproveite o silêncio, a paz e os sentimentos bons que ele traz.

49
ASSUMA A RESPONSABILIDADE PELA PRÓPRIA FELICIDADE

Infelizmente um dos maiores erros que se comete no relacionamento também é uma das coisas mais tentadoras do relacionamento. É tornar seu parceiro ou parceira responsável pela sua felicidade e imputar-lhe a culpa quando você não é feliz!

É meio assustador ouvir muitas das canções populares que tocam no rádio. Freqüentemente a mensagem é "Você me faz feliz; estaria perdido sem você; você é meu mundo" ou outros tipos de mensagens similares que nos tiram todo o poder e a responsabilidade de nos fazer felizes e atribuem isso a outra pessoa. Nossa! Se pensar bem, é uma pressão enorme que fazemos sobre essa outra pessoa. É como dizer: "Nem sempre consigo ser feliz, mas se você vai ficar comigo, é melhor me fazer feliz."

Superficialmente esse conceito parece bem óbvio, mas quantos de nós realmente assume toda a responsabilidade pela própria felicidade? Com que freqüência dizemos para nós mesmos: "Por que a minha mulher não pode ser diferente?", ou

"Fico furiosa quando o meu marido age desse jeito" ou "Estou estressada porque o meu marido trabalha demais". Quando examinamos essas (e milhares de outras) afirmações e pensamentos tão comuns, fica claro que elas sugerem, por mais sutis que sejam, que de alguma forma alguém que não é você é responsável pela sua felicidade. A idéia é mais ou menos essa: "Se ao menos ele (ou ela) fosse diferente, eu seria feliz. Ele (ou ela) tem de mudar. Não eu. De jeito nenhum. É ele (ou ela)!"

O que nós descobrimos foi que se você acredita que a resposta para a sua infelicidade está nas mãos de outra pessoa (não importa o quanto você a ama), é um sério candidato a ter muitos problemas. Mesmo se a outra pessoa conseguir agradar-lhe com modificações ocasionais, você passará a contar com essas modificações para a manutenção da sua felicidade. O resultado será um só. Com o tempo você sofrerá uma decepção e ficará desanimado. Sobrará apenas aquela sensação indefesa e dependente que diz: "A culpa é dela."

Não nos interprete mal. Não estamos dizendo que a sua parceira não desempenha um papel na sua felicidade ou que vocês não são mais felizes quando estão juntos – ou que você não ficaria ou não deveria ficar arrasado se a sua parceira resolvesse deixá-lo, por querer ou devido a qualquer circunstância. Certamente sentimos isso um pelo outro – como sentem todos os casais felizes que conhecemos. Também não estamos sugerindo que não existem exemplos dramáticos em que fica claro que um dos dois tira vantagem das chances de o outro ser feliz.

O que estamos dizendo é que no fim das contas você, e só você, é responsável pela própria felicidade. Quando a sua vida não está indo bem, você precisa fazer mudanças ou ver as coisas de um modo diferente. Você pode ter de fazer escolhas difíceis, ter discussões dolorosas ou constrangedoras, ou ter de se comprometer de alguma forma – mas você precisa assumir a responsabilidade pelo próprio nível de felicidade. Não existe relacionamento suficientemente bom que faça isso por você.

Essa é uma descoberta muito poderosa para você e para o seu parceiro ou parceira. Na verdade você está afirmando para você mesmo que apesar do seu relacionamento ser absolutamente prioritário e do amor que sente por ele ou ela ser imenso, é você que tem o poder e a capacidade de se fazer feliz. Isso significa que você está bem quando as coisas não estão tão bem ou quando o seu parceiro ou parceira demonstra ser humano. A sua felicidade não depende totalmente de uma ação predeterminada e específica do seu parceiro ou parceira.

Você também está fazendo uma afirmação importante para o seu parceiro ou parceira, tirando bastante pressão de cima dele ou dela. "Tudo bem você ser humano. Você pode cometer erros e não precisa ficar andando sobre ovos ou fingir ser isso ou aquilo quando estiver perto de mim. Você não precisa se preocupar imaginando se vou ter um ataque toda vez que me decepcionar. Eu aceito o fato de que, quando me decepciono, o desapontamento vem de meus próprios pensamentos. Tenho preferências, mas não permitirei que essas preferências arruinem a minha vida. Você pode ficar de mau humor ou deprimida e até tem a minha permissão para não ser perfeita. Estou bem mesmo quando você não está, e amo você incondicionalmente, do jeito que a conheço agora."

Assumindo a responsabilidade pela própria felicidade, você estará abrindo a porta para um novo tipo de relacionamento, baseado na honestidade, responsabilidade, coragem e sabedoria. Se for por esse caminho, será candidato a uma vida de surpresas boas. Será espantoso ver como ficará mais feliz quando atribuir a responsabilidade pela sua felicidade a quem deve assumi-la: você.

50
DOMINE A ARTE DA FRANQUEZA

Não importa se o seu relacionamento é bom, honesto, cheio de amor e maravilhoso, é inevitável que vocês tenham pelo menos um certo grau de conflitos. Todo casal tem problemas ocasionais para resolver. Faz parte do sistema. É por isso que é essencial vocês dominarem a arte desse tipo de comunicação. Não consigo imaginar um relacionamento sobrevivendo – certamente não progredindo – sem a utilização dessa poderosa ferramenta.

A franqueza é um tipo muito específico de comunicação que serve maravilhosamente bem às questões do coração. Você pode usá-la para conversar sobre questões constrangedoras, dolorosas ou difíceis, ou como uma forma de resolver conflitos, problemas ou de chegar a um entendimento mútuo. Em muitos casos, você até pode utilizá-la como um modo de concordar em discordar. Essa é uma forma carinhosa e, no entanto, extremamente poderosa de se comunicar com alguém que você ama. Na verdade é tão poderosa que quase nada é doloroso demais para ser discutido numa atmosfera apropriada.

A base da conversa franca é o acordo que cada um faz de abordar a conversa com amor e respeito. Os dois concordam em falar e, mais importante ainda, em ouvir, sem levantar as defesas, mantendo seus corações abertos e controlando suas reações. Os maiores objetivos de uma conversa franca são garantir que cada um se sinta ouvido e garantir que os dois saiam dela mais unidos, independentemente de a questão estar ou não resolvida. O segredo é mostrar a necessidade de uma conversa franca de uma maneira gentil e sem nenhum tom de ameaça, e depois manter a mesma atitude durante toda a conversa. Numa conversa franca é muito mais importante aprender do que ensinar, ouvir do que falar. É importante deixar de lado suas conclusões e reações habituais antigas. É importante absorver o que está sendo dito, em vez de reagir.

Muitas vezes os casais adquirem hábitos de má comunicação com os assuntos do dia-a-dia e também com as questões mais sérias. A maioria dos casais tem muitas reações automáticas: culpar o outro, ciúme, ouvir mal, não dar valor e reações de raiva que levam a brigas. Esses hábitos invariavelmente levam à falta de confiança, a atitudes apáticas, ao distanciamento ou até mesmo ao desrespeito e à ofensa.

Cultivando o respeito e o desejo de ter essas conversas francas vocês podem apagar a maior parte, senão todos, esses problemas. E felizmente esse tipo de comunicação é fácil de implementar. Na maioria dos casos só precisa de um parceiro para influenciar positivamente o relacionamento iniciando sua comunicação sincera. Existem graus tremendamente diferentes de profundidade dessas conversas de coração aberto, mas quaisquer passos dados nessa direção podem ser úteis demais.

Intimidade compartilhada, ou comunicação profunda e sincera, é uma necessidade importante do espírito humano. Simplificando, é estimulante e traz com ela uma sensação de proximidade. Infelizmente, se por algum motivo você não puder ou não quiser partilhar ou ouvir nesse nível, o seu parceiro ou parceira pode se distanciar de você, emocional e até fisicamente. Com o tempo, muita gente se sente mais à vontade partilhando com outros amigos, até com estranhos, do que com o cônjuge ou o ser amado. Em casos extremos, um parceiro sai em busca de alguém que saiba ouvir, alguém que seja capaz de manter essa comunicação franca.

Não existe uma estrutura formal para esse tipo de conversa, e tampouco uma maneira certa ou errada de fazer isso. O essencial é que vocês concordem que está na hora de uma conversa franca. Precisam estar "antenados" um com o outro para ter certeza de que o momento é propício. Se um dos dois estiver na defensiva ou agindo com intransigência, a hora não é essa. Ou se você estiver ocupado com outros "compromissos", é melhor esperar um pouco. Mas se os dois estiverem com o espírito receptivo e amoroso e sentirem que podem discutir o assunto de um modo tranqüilo, sem reações negativas, então essa é uma boa hora para tentar. Depois de começar, pare bastante. Reflita honestamente se está se saindo bem. Podem até perguntar um para o outro: “Está bem assim?” Ou então tenha a liberdade de conferir com seu parceiro dizendo: “O que você está dizendo é que... estou entendendo corretamente?” Certifique-se de não estar sendo arrogante, de não ficar na defensiva, de não reagir nem ser agressivo demais. E se for, também não faz mal. Recue gentilmente e tente de novo. Seja paciente e, acima de tudo, carinhoso.

Nesses anos todos, Kris e eu tivemos centenas de conversas francas de coração aberto, algumas bem leves, sobre aborrecimentos do dia-a-dia (quando fazemos tempestade em copo d’água), e outras bem mais sérias. Discutimos tudo, desde armários desarrumados e itens domésticos perdidos, até finanças e problemas nas carreiras, questões que envolviam nossas filhas e problemas nossos. Todas as vezes essas conversas desempenharam um papel muito importante na superação dos problemas. Esperamos que vocês explorem e experimentem essa mágica ferramenta de comunicação – ela fez maravilhas para nós e acreditamos que fará a mesma coisa por vocês.

51

NÃO CONFUNDA A SUA FRUSTRAÇÃO COM UM PROBLEMA NO RELACIONAMENTO

Suponho que seja um traço da natureza humana (pelo menos um impulso comum do ser humano) que quando estamos frustrados tentemos descobrir por que nos sentimos tão mal, de quem é a culpa ou procuremos algum raciocínio lógico que explique o nosso sofrimento. Por isso, quando você está deprimido ou frustrado de alguma forma, pode ser que pense: "Se ao menos eu soubesse por que estou tão deprimido, poderia começar a me sentir melhor."

E então você descobre! "É isso, eu sei o que é, meu relacionamento está com problemas!" Na mesma hora você passa a atuar como detetive e começa a pensar em todos os pontos do seu relacionamento que não estão como deveriam ser. Faz uma revisão mental das imperfeições do seu parceiro ou parceira e de como as suas necessidades não estão sendo atendidas. Analisa como seu relacionamento não está funcionando direito, como não é mais o que era antes e as áreas que precisam ser trabalhadas. Às vezes essa tendência é mínima. Outras vezes é severa. De qualquer forma, você abre a porta para, no mínimo, mais frustração, em geral para problemas reais.

Mas se você se distanciar um pouco dessa tendência, poderá ver que na maioria das vezes é exatamente porque você está frustrado que os problemas e os conflitos do seu relacionamento surgem em sua cabeça. Em outras palavras, a frustração veio primeiro, e dessa frustração partiu a tendência de ver, criar e analisar problemas. Quando você está se sentindo agitado, estressado, irritado, aborrecido ou cansado, ou quando seu estado mental é negativo, é totalmente previsível que sua cabeça fique cheia de pensamentos negativos e que o seu relacionamento em geral seja considerado a causa dos seus sentimentos negativos. Por isso, praticamente todas as explicações que você encontrar – ou que alguém venha a sugerir quando você estiver deprimido – vão parecer lógicas e sensatas quando se está por baixo. Você pensará mais ou menos assim: "Minha mulher não me apóia" ou "Meu namorado não é um bom ouvinte". E como você está frustrado, quase sempre parece fazer sentido. Você poderá validar seus sentimentos com muitos exemplos específicos. Infelizmente, quando nos sentimos mal ou inseguros, quase qualquer coisa pode parecer problemática – provavelmente fazemos tempestade em copo d'água por qualquer coisa! E além disso, tudo parece ter um sentido perfeito. Essa é uma das armadilhas mentais que não fica mais fácil com o tempo. A mesma dinâmica se aplica se o seu relacionamento é recente ou se vocês estão casados há cinqüenta anos.

Isso não significa que os problemas que você nota e sobre os quais pensa quando está deprimido ou insatisfeito nunca são verdadeiros. Às vezes são. No entanto, se você acha que tem um problema quando está mal e esse problema é legítimo, certamente será a mesma coisa quando seu estado de espírito estiver melhor e quando estiver se sentindo bem de novo. Nem sempre, mas na maioria das vezes os problemas que parecem tão reais e significativos quando você está deprimido desaparecem como num toque de mágica quando você melhora. Isso acontece muito.

O que resulta dessa estratégia é muito simples e pode mudar o curso dos seus relacionamentos para sempre. Quando você não estiver bem, não leve seus pensamentos e sentimentos tão a sério. Quando estamos deprimidos somos menos sábios, temos menos compaixão, menos objetividade e menos bom senso. Em vez de dizer "Eu sei por que estou deprimido – é ela, ou ele, ou o relacionamento", diga para você mesmo: "É claro que estou com raiva ou frustrado; estou deprimido. Minha cabeça não está boa para ver as coisas com clareza." Em vez de reagir, espere isso passar. Preste menos atenção ao seu raciocínio, dê-lhe menos importância e, acima de tudo, evite analisar as coisas. Se fizer isso estará imunizando e protegendo você mesmo e o seu relacionamento da grande maioria dos conflitos do dia-a-dia. Quanto menos atenção prestar nos seus pensamentos e sentimentos negativos, mais depressa o seu estado vai melhorar e a sua sabedoria voltará.

É claro que é mais fácil falar do que fazer isso. Apesar de esse conselho ser muito simples, nem sempre é fácil. Isso porque, toda vez que você fica frustrado, provavelmente se vê forçado a reverter para a tendência bem humana de procurar um sentido para tudo. No entanto, se tiver paciência e praticar um pouco, pegará o jeito. E quando aprender isso, valerá a pena ter feito todo esse esforço.

52

PARE DE FICAR SEMPRE NA DEFENSIVA

Se você pudesse eliminar todas as reações de defesa da sua personalidade, além de ter o melhor relacionamento do mundo, na verdade você se tornaria a pessoa mais carinhosa e adorável do planeta. Teria tanto carisma e charme que seria quase irresistível, praticamente um ímã de companheirismo humano. As pessoas fariam fila para estar com você e você viveria feliz para sempre com seu parceiro ou parceira.

Sejamos realistas. Ninguém consegue eliminar todas as reações defensivas. Faz parte da natureza humana. Todas as pessoas ficam na defensiva pelo menos parte do tempo porque ninguém gosta de ser criticado, questionado, atacado, julgado, de ouvir sermões, de ser diminuído. No entanto, com um esforço suave, nós descobrimos que é relativamente fácil dar grandes passos para diminuir essas reações de defesa.

Como a palavra sugere, estar na "defensiva" significa que sentimos a necessidade de nos defender. Emocionalmente nós preparamos o bote, ficamos tensos e resistimos aos comentários (às vezes até aos pensamentos) que estão sendo dirigidos para nós. Fazemos essas coisas numa tentativa de nos proteger, como parte da nossa reação inata de "lutar ou fugir".

É bom e mau ao mesmo tempo que as nossas respostas automáticas de defesa nunca nos protejam completamente das sensações de mágoa, rejeição e insegurança. É mau porque, se funcionassem, todos nos sentiríamos bastante seguros. Teríamos uma estratégia para evitar a sensação de desânimo sempre que somos criticados. Mas se você prestar bem atenção em como se sente de fato depois de qualquer tipo de reação de defesa, vai notar que acaba se sentindo ainda pior. Parece não fazer nada além de pôr sal na ferida.

Mas a boa notícia, o lado "bom" do fracasso da reação defensiva é que, como funciona tão mal, indica que deve haver um modo melhor de reagir. E há mesmo.

A alternativa para a sensação ou o ato de se defender é chamada de aceitação. Diferente da atitude defensiva, que é como cerrar o punho e empacar na teimosia, a aceitação é como abrir a mão, tornar-se aberto e receptivo. Quando você se esforça para aceitar, está tentando receber a vida, inclusive as críticas, comentários dos quais discorda, e todo o resto, com um certo grau de serenidade.

A aceitação não é se transformar num capacho nem ficar apático. Também não é modificar suas crenças mais valiosas. Ao contrário, a aceitação é ficar um pouco mais aberto e receptivo para o que os outros têm a dizer. É reagir menos e aprender a ouvir melhor.

No início, como pode parecer estranha, uma atitude de

mais aceitação e de resposta à vida pode ser meio difícil. O começo exige uma certa fé, a disposição para tentar uma abordagem mais suave. Mas essa é uma daquelas belas experiências que vão ficando mais fáceis a cada tentativa. Quando você perceber que a sua vida e os seus relacionamentos ficaram mais fáceis, vai se acostumar e perderá o desejo de reagir tanto.

No meio desse esforço você passará a escolher suas batalhas com mais sensatez. Quando algo for realmente importante, ou que vale a pena defender, você certamente se esforçará, mas em relação aos "copos d'água", tenderá a se distanciar mais. Quando alguém atacar você, ou criticá-lo, você permanecerá calmo e será capaz de decidir se há ou não alguma validade nos comentários. Vai aprender com a experiência ou então vai ignorá-la com sabedoria. De qualquer forma, nada disso irá afetá-lo como antes.

Há dividendos enormes resultantes da redução das reações de defesa. Seu parceiro ou parceira vai reagir à sua mudança de atitude sendo uma companhia mais agradável e provavelmente não se defenderá tanto também. Além disso, sua curva de aprendizado ficará mais acentuada. Em vez de reagir às críticas ou às sugestões com raiva, medo e afastamento, você começará a se interessar pelos outros pontos de vista. Terá mais conversas francas e bem menos conflitos e discussões.

Por que não experimentar? O que você tem a perder, fora uma reação habitual que interfere e prejudica o seu relacionamento, não deixando que ele seja tudo que pode ser?

53
SEJA SEMPRE GRATO

Nada mantém um relacionamento tão renovado, vivo e estimulante como o verdadeiro sentimento de gratidão. Por outro lado, nada condena mais um relacionamento ao fracasso do que a falta dele. Na verdade, a gratidão é um dos principais ingredientes de um relacionamento mutuamente enriquecedor.

A gratidão é importante por muitos motivos. Ela mantém seu coração aberto e sua mente receptiva para as dádivas da vida e do seu relacionamento. Serve como uma lembrança constante da bênção que é estar vivo e evita que você dê por certo o seu relacionamento. A gratidão o mantém satisfeito, lembrando que o que você tem é o bastante. Quando você se concentra na gratidão, ela mantém seus problemas num plano objetivo, especialmente os pequenos. É a imunidade contra a irritação com as pequenas manias do seu parceiro ou parceira, e contra as imperfeições do seu relacionamento. A gratidão faz com que você veja além dos "copos d'água" e evita as reações exageradas diante dos conflitos de um relacionamento.

Mas além da própria satisfação, a expressão da gratidão mantém sua união segura e cheia de amor. Todos gostam de saber (e de ouvir) que são apreciados e valorizados pelo que fazem e são. Na verdade, quando alguém se sente desvalorizado, ou menosprezado, acaba ficando ressentido ou reage com apatia. A ingratidão é um fator importante que faz com que o relacionamento fique estagnado e tedioso. Os casais param de se querer bem porque não sentem reconhecimento e apreço por parte do outro. Muitas vezes as pessoas começam a se perguntar: "De que adianta?"

Sendo sempre grato e expressando seus sentimentos de gratidão, você está enfatizando o fato do seu relacionamento ser uma bênção – que é, realmente. A gratidão é uma força poderosa que pode eliminar e superar a maioria dos problemas que existem num relacionamento. Ou seja, você pode fazer muitas coisas erradas, cometer erros e apresentar as imperfeições da natureza humana, desde que se lembre de ser grato.

É fácil adquirir o hábito de achar que não precisa fazer mais nada para ter o seu parceiro ou parceira ao seu lado. A combinação do tempo que passa, a familiaridade de um com o outro e os atritos da vida parecem assumir o controle e nos consomem. Em algum ponto, esquecemos que a pessoa amada é muito especial e valiosa para nós e o quanto enriquece a nossa vida. Mas, com alguma atenção, também é fácil desenvolver uma "atitude de gratidão". Você começa desviando o foco da sua atenção do que há de errado e do que não está funcionando, e substitui esse foco por um compromisso sincero de refletir sobre o que está certo em sua vida – e em seu relacionamento. É isso! O resto virá naturalmente. Quando você pensar no que está certo, vai começar a observar e a apreciar a contribuição e o amor que seu parceiro ou parceira traz para a sua vida. Depois, quando começar a expressar a sua gratidão por tudo que está observando, seu relacionamento terá o estímulo necessário para ficar mais profundo e para florescer.

Recebi uma linda carta de uma leitora que resume o poder da gratidão. Parafraseando, ela diz: "Eu costumava pensar que... agora descobri que..." Tudo converge para a maneira de ver as coisas. No fim, você vê o que está procurando. Se sua mente estiver concentrada no que é certo e belo em seu relacionamento, é isso que verá – e essa será a essência do seu relacionamento.

54

NÃO CAIA NA ARMADILHA "TENHO TEMPO PARA TODO MUNDO, MENOS PARA VOCÊ"

É muito fácil cair nessa armadilha e ela já prejudicou tantos casais que é quase doloroso escrever sobre ela. Como quase todos sabem muito bem, é fácil ficar sobrecarregado com todas as responsabilidades da vida, não ter tempo para nada e se atrapalhar com a necessidade desesperada de cortar compromissos e tarefas. Como diz o ditado: "Um dia a casa cai."

Infelizmente, sem saber e sem qualquer intenção de prejudicar ninguém, em geral são aqueles que amamos que vão para o fim da fila. Em outras palavras, quando nos esforçamos para fazer tudo, acabamos negligenciando as pessoas que mais amamos no mundo – nossa mulher, nosso marido, nossos filhos e outras pessoas que amamos profundamente. E infelizmente também, quando fazemos isso criamos uma aresta de mágoa entre nós mesmos e aqueles que amamos. Ninguém gosta de sentir que tudo e todos são mais importantes do que nós. Machuca saber que parece haver tempo para todos e para tudo, exceto para você.

Nós encontramos tempo para o trabalho... e muito. E é claro que é fácil justificar isso. Afinal de contas, todo o mundo "precisa trabalhar". Depois vêm as tarefas diárias, que são numerosas demais para citar aqui. Podem haver projetos domésticos que precisam, a uma certa altura, ser feitos. E há ainda o nosso envolvimento com a comunidade ou a igreja. Como poderíamos cortar esses? Quem ia querer? Há também todas aquelas obrigações sociais, uma depois da outra – queremos ser bons amigos, vizinhos, pessoas... –, como poderíamos deixar de cumpri-las? E finalmente, temos os próprios interesses, a necessidade de fazer exercícios, um hobby talvez. A lista não acaba nunca.

Se não tivermos cuidado, lenta mas inexoravelmente começamos a negligenciar as pessoas especiais da nossa vida, a passar menos tempo com elas e a ficar mais distraídos. Não é intencional. Simplesmente acontece. Você pode começar a chegar mais tarde em casa com mais freqüência ou a viajar mais. Os programas são cancelados ou abreviados. Seus momentos especiais tornam-se cada vez menos freqüentes – ou você começa a combiná-los com outras atividades. Quando você está em casa, normalmente está envolvido com outra coisa, provavelmente algo "produtivo" como fazendo faxina, cuidando do jardim, consertando alguma coisa. Ou então está envolvido com a escola dos filhos, calculando seus impostos, ou qualquer outra coisa.

É óbvio que realmente temos vidas tremendamente atarefadas e muitas responsabilidades importantes que consomem nosso tempo. Certamente é verdade que todos nós temos de fazer sacrifícios e assumir compromissos. O dia só tem vinte e quatro horas e nenhum de nós consegue fazer tudo. Certamente não estamos sugerindo que você modifique drasticamente seu modo de aproveitar o tempo, nem que reavalie suas prioridades para poder passar muito mais tempo junto com seu parceiro ou parceira.

Por outro lado, é importante ter consciência dessa tendência e ver com que facilidade ela interfere em seu relacionamento. É útil refletir sobre as mensagens que você *realmente* está enviando para o seu parceiro. Apesar de você poder amá-lo mais que tudo no mundo, as mensagens que está enviando podem contradizer esse amor. O velho clichê "Seus atos falam mais alto que suas palavras" é bem verdadeiro.

Pode não haver um modo perfeito de superar totalmente essa tendência – nós não descobrimos um. No entanto, é tremendamente útil (se feito regularmente) refletir sinceramente sobre o seu relacionamento e descobrir em que esse hábito está sendo ou virá a ser prejudicial no futuro. Isso pode ajudá-lo a fazer os ajustes necessários, aprendendo a dizer não para certos pedidos, estabelecendo fronteiras e limites ou quebrando hábitos que interferem na sua união amorosa. Esperamos que você ache isso útil, como nós achamos.

55
ORGANIZEM UM PROJETO DE CARIDADE JUNTOS

Praticamente nenhuma atividade tem o potencial de unir mais duas pessoas do que a execução de um projeto por uma boa causa ou, mais especificamente, organizar e pôr em prática um projeto de caridade criado pelo casal. Vale a pena considerar seriamente essa estratégia porque, apesar de muitos casais serem extremamente generosos e bondosos, e poderem até participar de vez em quando de boas causas através de doações privadas, projetos através da igreja, trabalho voluntário ou de alguma outra forma, uma percentagem bem pequena se dispõe a organizar um projeto próprio e experimentar os efeitos da felicidade da doação pura. As recompensas para o seu relacionamento são significativas e duradouras. Vocês vão desenvolver camaradagem, sentirão mais gratidão pelas dádivas que já compartilham e terão uma objetividade mais profunda que vai ajudá-los a desprezar as irritações menores, que em geral parecem mais importantes do que realmente são.

No corre-corre da vida diária é fácil se fechar em seus próprios mundos, ficar frustrado com as exigências da vida. E embora não haja dúvida de que a vida pode ser frustrante, às vezes até arrasadora, também é verdade que fazer alguma coisa pelos outros ou por uma causa em que acreditamos ajuda a reduzir essa frustração. Dedicar um pouco da nossa atenção a "fazer o bem", e um pouquinho do nosso esforço e do nosso tempo a algo diferente das nossas "coisas", faz com que nos lembremos de que a vida é mais do que se vê por aí, que os nossos problemas, especialmente os pequenos, em geral podem ser reduzidos à devida perspectiva. Mais do que isso, nos faz sentir a alegria pura de dar, de fazer uma coisa completa, do começo ao fim, que é a mais positiva e altruísta, algo que não tem nada a ver com "nós" ou com a nossa existência comum do dia-a-dia.

Nosso primeiro projeto juntos foi uma arrecadação popular de alimentos que planejamos durante nossa viagem à Índia. O sofrimento que testemunhamos lá nos fez lembrar da sorte que tínhamos de não ter aquelas carências básicas, inclusive comida na mesa. Também nos lembramos de quanta gente no nosso país precisava de ajuda. Já tínhamos o hábito de doar dinheiro e alimentos para organizações idôneas, mas jamais planejamos um movimento nosso. Apesar de o nosso projeto ser extremamente pequeno, se comparado a qualquer outro, e totalmente privado de sofisticação em sua natureza, o fato de planejar transformou-se num momento significativo em nossas vidas. Foi então que dedicamos nossas vidas à bondade e a servir aos outros. Vimos que era facílimo fazer algo pelos outros e quanta alegria isso proporcionou a nossa vida e ao nosso relacionamento. Madre Teresa disse uma vez: "Não podemos fazer coisas grandiosas nesta terra. Só podemos fazer pequenas coisas com um amor grandioso." Esse foi um exemplo perfeito da convicção dela. Foi bem pequeno, mas cheio de amor.

Fundamentalmente o que fizemos foi o seguinte: enviamos uma carta para praticamente todas as pessoas que conhecíamos numa área limitada, pedindo para elas doarem pelo menos uma sacola grande de compras com alimentos não perecíveis. Partimos da premissa que levariam mais a sério um pedido de amigos do que de pessoas estranhas. Acompanhamos cada carta com um telefonema pessoal e sugerimos que todos pedissem aos vizinhos para participar também. Facilitamos as coisas para todos, tornando quase impossível não participar. Escolhemos uma data e alugamos um grande caminhão. Instruímos as pessoas a deixarem suas contribuições na porta de suas casas na manhã daquele dia determinado. Telefonamos dois dias antes para lembrar e pedimos mais uma vez que convidassem os vizinhos a participar, deixando suas sacolas na porta dos nossos conhecidos.

A resposta foi tremendamente positiva, quase inacreditável. Além de praticamente todos aos quais pedimos terem participado, muitos convenceram os vizinhos para fazerem a mesma coisa. Chegávamos em um endereço e encontrávamos não uma nem duas, mas às vezes dez ou doze grandes sacolas cheias de alimentos. Era quase como se cada um tivesse feito a própria campanha arrecadando doações, e nós simplesmente recolhemos tudo e entregamos. Além disso, muita gente nos escreveu lindos cartões ou bilhetes agradecendo o nosso esforço e dizendo que achavam uma ótima idéia. Levamos o dia inteiro, mas enchemos o caminhão de comida, e doamos a uma igreja incrível que oferece refeições diariamente para a população de rua. Ficaram tremendamente gratos e disseram que fora uma das maiores doações que tinham recebido de cidadãos comuns. Saber que o alimento seria consumido por pessoas que realmente precisavam foi uma das sensações mais gratificantes que experimentamos na vida. Descobrimos que mesmo se o nosso esforço resultasse em uma única sacola de alimentos, teria valido a pena. A importância não estava na quantidade de alimento, e sim no sentimento de amor.

No dia seguinte escrevemos uma carta de agradecimento para todos que participaram para contarmos sobre o sucesso do projeto e como crescemos nesse processo. Não podemos avaliar se o nosso projeto provocou algum efeito, ou qual foi esse efeito, nas outras pessoas, mas achamos que muita gente começou a pensar em maneiras de também poderem ser um pouco mais úteis para a comunidade. Parece que, muitas vezes, quando se planta uma semente, uma cadeia de acontecimentos positivos vem a seguir. Mas o fato de o nosso projeto ter causado algum efeito em nossos amigos, conhecidos e vizinhos era secundário. Sabemos que o tempo que gastamos organizando o nosso projeto teve um efeito positivo em nosso relacionamento que dura até hoje.

56

PERGUNTE PARA VOCÊ MESMO: "NA SITUAÇÃO ATUAL, ISSO É MESMO TÃO IMPORTANTE?"

Analisando bem, no âmago do aprendizado de não fazer tempestade em copo d'água está a arte de começar a reconhecer que muitas coisas que consideramos muito importantes... não são. Nós superdimensionamos as coisas, fazendo com que pareçam muito mais significativas, nós queremos ver sentido em tudo, analisamos demais, prevemos o pior, ficamos tensos, ensaiamos a infelicidade em nossas mentes e transformamos montículos em montanhas. Mas quando viramos a esquina e começamos a pôr as coisas em suas devidas perspectivas, estamos no caminho de uma vida mais tranqüila.

Por mais simples que pareça (e é realmente simples), pode ser tremendamente útil fazer essa pergunta para você mesmo, sempre que estiver um pouco tenso: "Na situação atual, isso é mesmo tão importante?" Na maioria dos casos, o simples fato de fazer a pergunta já basta. Essa pergunta trará você gentilmente, mas com firmeza, de volta à realidade e na mesma hora você ficará mais reflexivo e ampliará sua visão objetiva. Vai passar a dizer coisas assim: "Ah, tudo bem" e "Deixa para lá".

Kris e eu aprendemos a fazer isso com bastante eficiência e tem nos ajudado inúmeras vezes a deixar para lá as pequenas coisas, e seguir em frente. Pode ser algo como esquecer de fazer alguma das nossas tarefas, adotar algum hábito irritante ou esquecer de fazer um favor que tínhamos prometido, costumamos conseguir lembrar que não é tão importante assim e deixamos para lá. Lembro-me de um dia em que Kris estava saindo para fazer umas compras. Havia um artigo no jornal que eu queria muito ler, por isso a lembrei três vezes para que não deixasse de comprar o jornal. Ela esqueceu.

Dez anos atrás eu acho que teria criado um caso com ela, como suspeito que muitos casais fariam, nessa situação. Mas eu aprendi a rir dessa e de outras coisas, achando-as insignificantes, o que elas certamente são. Não considero coisas como essa realmente "copos d'água". E já notei que, como passei a exigir menos perfeição e desenvolvi a minha paciência, Kris reagiu praticamente parando de esquecer as coisas. E quando ela, mais uma vez, demonstra que é humana, também não faz mal.

Kris age comigo da mesma forma. Em vez de ter um chilique e ficar tensa quando meu vôo é cancelado ou quando tenho compromissos demais, ou quando não sou carinhoso, ela lembra que, apesar de ficar desapontada e de talvez ser um contratempo passageiro, na verdade não é grande coisa. E, para ser sincero, há ocasiões em que nós dois ficamos muito aborrecidos e voltamos a perder a objetividade. Mas aprendemos que isso também não é grande coisa.

Uma amiga me disse um dia que ela acredita que: "Se alguém está morrendo, seriamente ferido ou correndo um grave perigo, isso é importante. O resto não é." Nem Kris nem eu achamos que dominamos essa estratégia, mas sabemos que estamos indo na direção certa. E você também pode fazer isso!

57

NÃO CONTINUE FAZENDO AS MESMAS COISAS E ESPERANDO UM RESULTADO DIFERENTE

Nossa família estava visitando um aquário e observamos uma coisa muito curiosa. Por cerca de quinze minutos ficamos vendo uma linda tartaruga marinha nadando graciosamente num grande tanque. Toda vez que a tartaruga passava num determinado lugar, ela batia a nadadeira e um lado da cabeça no vidro, exatamente do mesmo jeito. Dava para ver que ela não se machucava, mas parecia que toda vez que ela batia no vidro se surpreendia.

Uma vez ouvi alguém descrever a definição de insanidade como "fazer a mesma coisa sempre, esperando um resultado diferente". E apesar de eu não ter a pretensão de saber o que a tartaruga estava tentando realizar e por isso não poder chamá-la de louca, há uma certa lógica nessa definição para nós, seres humanos.

Quantas vezes nós temos uma reação exagerada, somos agressivos porque nos sentimos frustrados, fazemos tempestade em copo d'água ou reagimos por reflexo contra alguém que amamos (nosso companheiro ou companheira, de fato ou em potencial, nossos filhos, amigos, colegas ou pais), e recebemos, em troca, uma resposta que não gostamos? Da próxima vez que ficamos frustrados temos a mesma reação... e o resultado é o mesmo. Ficamos sempre repetindo o mesmo erro, uma vez após a outra. Era de se imaginar que depois de milhares e milhares de tentativas, entenderíamos o recado. Mas em geral não entendemos!

Mary era uma jovem muito inteligente. Tinha um maravilhoso senso de humor e era muito atraente. Parecia ter tudo: saúde, beleza, uma ótima carreira, ambição, compaixão, inteligência e sagacidade, entre outras coisas. Quando a conheci me pareceu que possuía apenas um defeito visível. Era extremamente ciumenta. Começava um namoro e tudo ia bem. Então, sem mais nem menos, tinha uma crise de ciúmes por alguma coisa realmente insignificante – o namorado mencionava uma antiga namorada, ou conversava com uma colega de trabalho no escritório ou dizia que queria acampar sozinho – ou qualquer outra atitude inocente que fazia parte da vida dele. Ela acabava assustando os namorados, que se afastavam, um após o outro, com suas reações. Ela me disse que teve mais de uma dúzia de relacionamentos nos últimos anos e que todos terminaram sob circunstâncias semelhantes.

Tenho de admitir que o exemplo dela é extremo. No entanto, como acontece com todos nós, o erro de Mary foi esperar sempre uma reação diferente. Ela me contou que, lá no fundo, desejava encontrar um homem que não provocasse seus ciúmes. Achava que uma reação dramática da sua parte ajudaria o namorado a entrar na linha. Nunca funcionou, mas ela continuou tentando. Ela não compreendia que o problema não era dos homens com quem namorava e sim das próprias reações involuntárias ao que eles diziam e faziam.

Felizmente, quando entendeu que era ela quem criava o problema, Mary conseguiu fazer ajustes importantes em suas reações. Em grande parte ela foi capaz de parar de repetir as mesmas atitudes. E no mínimo, quando voltava ao seu antigo comportamento, sabia que não ia obter um resultado diferente. Ela até conseguiu desenvolver o senso de humor quanto às suas reações tolas. Nem é necessário dizer que seus relacionamentos melhoraram. (E provavelmente passaram a durar mais também!)

Uns mais, outros menos, todos temos esse problema. Nós dois certamente não somos uma exceção. Pode ser nossa reação típica às críticas ou sugestões, ou o fato de não ouvirmos atentamente e terminar as frases dos outros por eles ou algo totalmente diferente, há sempre um jeito de fazer a mesma coisa diversas vezes e ficar esperando uma resposta diferente. Fazendo uma avaliação sincera das suas tendências, você pode cortar esse problema pela raiz. Ao fazer isso, seus relacionamentos vão melhorar e você evitará muitas frustrações.

58

RESPONDA COM AMOR

Não há dúvida de que esta será uma das sugestões mais simples e talvez mais óbvia deste livro. Mas continua sendo a base de um relacionamento amoroso. Nem sempre é fácil, claro, mas quase sempre é o melhor curso e a melhor atitude a adotar.

Quando você responde com amor, não com ciúme, raiva, ressentimento, egoísmo ou frustração, mas simplesmente com amor, você está praticamente garantindo uma interação amorosa e, a longo prazo, uma sociedade cheia de amor e bem-sucedida. Em vez de fazer tempestade em copo d'água, você estará prezando o que é importante! Não ficará na defensiva, não terá reações negativas e será mais tolerante. Descobrirá que tudo que é importante no seu relacionamento vai se encaixar, como num passe de mágica, inclusive as dificuldades. O motivo: o amor cura. Quando você responde com amor, sua parceira ou parceiro respeita você, ama você, quer estar com você e quer que você seja feliz. Comprometer-se é fácil, assim como perdoar. Responder com amor ajuda a ver a inocência no seu parceiro ou parceira, em você mesmo e em toda a humanidade. Quando você responde com amor, é fácil para o seu parceiro ou parceira ver os defeitos dele ou dela sem ter de ficar se defendendo ou se sentindo ameaçado. Da mesma forma, quando o seu parceiro ou parceira responde com amor, é fácil para você enxergar de que maneira contribui para criar ou aumentar os problemas que vocês podem estar tendo.

Pensei muito nessa idéia e simplesmente não vejo nenhuma falha nela. Todo grande mestre espiritual e todas as tradições espirituais respeitáveis advogam essa posição – e todo grande livro espiritual é repleto dessa sabedoria. Além do mais, quando os casais dão suas sugestões para um relacionamento forte, essa está sempre, cem por cento das vezes, no topo ou bem próximo do topo da lista.

Isso já foi dito e expressado de muitas formas diferentes, mas o recado é sempre o mesmo. Simplificando: "Responda com amor, e tudo ficará bem." A objeção mais consistente a essa sugestão é: "Eu já faço isso – mas meu parceiro ou parceira não faz." Se você sente isso, é provável que não esteja respondendo com amor suficiente. É óbvio que há as raras exceções em que acontece a violência, mas na maioria das vezes tudo que precisamos é de mais amor.

Aqui vão dois exemplos comuns, do dia-a-dia. Primeiro exemplo: suponha que seu companheiro ou companheira chegue em casa de mau humor e bata a porta. O que você deve fazer? Uma reação seria gritar com irritação: "O que há com você?" Ou, então, pode ser melhor simplesmente ser paciente, compreensivo e carinhoso? Não há receita para descrever exatamente o que você pode dizer ou fazer. Em vez disso, suas ações se desenrolam naturalmente quando seu coração responde com amor.

Segundo exemplo: o que acontece se o seu parceiro ou parceira acusa você de alguma coisa que você sabe, lá no fundo, que não é verdade – que você não está contribuindo ou fazendo o bastante, por exemplo? Você pode agir, sentir e responder se defendendo, como a maioria das pessoas provavelmente faria. Pode revidar com comentários agressivos. É claro que isso praticamente garantiria a continuidade dos sentimentos negativos para vocês dois. Por outro lado, e se você respondesse com amor? E se, em vez de reagir aos comentários com raiva ou alguma outra reação similar, você simplesmente se mantivesse carinhoso e gentil? E se você dissesse "Sinto muito que você se sinta assim", sem o menor sarcasmo ou tom de raiva na voz? E se você não exigisse carinho do seu parceiro ou parceira para você continuar carinhoso? O que você acha que ia acontecer? Imagine só com que rapidez a maioria dos conflitos se desfaria e desapareceria. Imagine quanto tempo a mais vocês iam passar se amando, em vez de irritados um com o outro.

Obviamente ninguém é perfeito e ninguém responde com amor o tempo todo. Nós dois com certeza que não. Mas podemos dizer sinceramente que esse é o nosso objetivo. E eu diria que, apesar de ainda termos um longo caminho a percorrer, respondemos com amor muito mais do que antes.

Parece-nos que se responder com amor não for um objetivo e uma prioridade em seu relacionamento, não vai acontecer mesmo. Você pode passar sua vida inteira esperando que seu parceiro ou parceira mude e fique mais carinhoso ou pode acabar à espera daquele companheiro perfeito: aquela pessoa que jamais agirá de um jeito que você desaprova. As chances são ínfimas! Nós temos certeza de uma coisa. Qualquer casal pode ser mais feliz, mais carinhoso e menos inclinado a fazer tempestade em copo d'água se ambos assumirem um compromisso individual e conjunto de responder com amor.

59
OLHE NO ESPELHO

Muitas vezes, quando ficamos zangados ou frustrados com a pessoa que amamos, existe alguma outra coisa secreta por trás – estamos zangados ou frustrados com nós mesmos. É isso sim, nós mesmos. Mas como é mais fácil jogar a culpa em outra pessoa, e nosso companheiro ou companheira são as pessoas mais próximas, costumamos culpá-los em vez de olhar no espelho e encarar os fatos.

Logo depois que tivemos nossa primeira filha, Kris e eu enfrentamos um breve espaço de tempo em que eu me sentia frustrado e pensava que era por causa dela. Estava frustrado porque achava que "fazia demais". Estava trabalhando em horário integral, cursando a faculdade e me esforçando muito para ser um bom marido e pai de primeira viagem. Quando Kris tirava algum tempo para ela, para ir à academia ou passar algum tempo com as amigas, eu sentia uma pontada de ressentimento. Eu me perguntava: "Por que ela tem um tempo só para ela enquanto eu estou sempre correndo?" Não parecia justo.

Eu estava sempre, cem por cento do tempo, trabalhando, ou estudando ou cuidando do nosso bebê. E apesar de gostar de tudo que fazia, especialmente ser pai, não tinha um tempo só para mim. Estava cansado e desanimado.

Em um determinado momento Kris sentiu a minha frustração e pediu para ter uma conversa franca comigo sobre isso. Como costuma acontecer quando duas pessoas que se amam abaixam as defesas e se abrem, a verdade óbvia apareceu. A realidade era a seguinte: eu não estava zangado com a Kris. Na verdade, eu invejava a sua capacidade de trabalhar meio período, de passar tanto tempo e gastar tanta energia com a nossa filha – e, no entanto, de alguma forma, conseguir arranjar um tempinho para ela, pelo menos de vez em quando. A verdade era que ela mantinha suas prioridades em ordem e eu sentia inveja disso. Ela estava controlando a marcha, respeitando seu ritmo e adaptando as circunstâncias a seu favor para poder manter a sensação de bem-estar. Eu, por outro lado, estava fazendo todo o possível para garantir um esgotamento nervoso!

Olhando para trás, vejo que era mais fácil culpar a Kris do que admitir que eu (e apenas eu) tinha permitido que a minha vida fugisse um pouco ao controle. Tinha assumido compromissos demais, alguns necessários, outros nem tanto. Ficava aborrecido de não ter tempo para mim e de, diferente da Kris, não me dar valor suficiente para separar alguns minutos por dia só para mim. Mas em vez de assumir a responsabilidade pelas minhas decisões, eu agia como um mártir, me fazia de vítima.

A nossa conversa (e a sensatez de Kris) ajudou-me a ver que a vida certamente ia continuar se eu me desse um pouco de tempo. Aprendi que a vida seria mais fácil e mais agradável, como tinha sido no passado, se eu pudesse operar num ritmo mais saudável.

Na hora em que compreendi que a minha frustração não tinha nada a ver com a Kris, que, ao contrário, tinha tudo a ver comigo, a mudança foi completa. Senti maior tranqüilidade e mais controle. Além disso, senti que a ligação com Kris tinha sido renovada e que, na verdade, tinha ainda mais respeito por ela do que antes. Em vez de julgar as opções dela, passei a admirá-las. Procurei aprender com ela.

Descobri uma coisa que desde então aceitei como verdade absoluta: quando você se cuida e se trata bem, tem energia suficiente para cumprir suas responsabilidades com amor e eficiência.

É muito tentador culpar seu parceiro ou parceira parcial ou integralmente por suas frustrações na vida. A idéia de olhar no espelho se aplica a inúmeros aspectos diferentes das relações humanas. Muitas vezes quando você fica frustrado isso é um sinal de que alguma coisa está acontecendo com você. O que sugerimos é o seguinte: da próxima vez que você sentir raiva, ressentimentos, inveja, ciúme ou frustração em relação ao seu parceiro ou parceira, use isso como uma oportunidade para olhar bem no espelho. O que você vai descobrir pode salvar sua sanidade... e o seu relacionamento.

60

DEIXE SEU PARCEIRO SER HUMANO

No centro das nossas amizades, dos nossos relacionamentos amorosos e casamentos reside a aceitação e, na verdade, o compromisso consciente de sermos dois seres humanos fazendo o melhor possível. É verdade que amamos e respeitamos um ao outro – demais – e que nos comprometemos em todos os sentidos da palavra, até que a morte nos separe. No entanto, nós dois compreendemos que, na realidade, somos apenas pessoas comuns. Essa aceitação mútua da nossa natureza humana mantém a riqueza, o carinho, a vida, o estímulo e o interesse do nosso relacionamento.

Parece óbvio demais, e é mesmo. Mas quantos casais esquecem esse fato tão importante da vida? Quantos de nós não ficam com raiva, sentem ciúme ou inveja, ou ficam ressentidos quando seu parceiro ou parceira se revela apenas humano? Quantos de nós são mais tolerantes e pacientes com pessoas estranhas do que com seu marido ou mulher? Quantos de nós têm expectativas quase impossíveis em relação ao companheiro ou companheira, que só poderiam ser atendidas por alguém que fosse mais do que um simples ser humano? Com que freqüência esquecemos de fazer concessões em nossos corações para o fato de que nosso parceiro ou parceira é um ser humano?

Os seres humanos são muito complexos. Nós somos, como disse Zorba, o grego: "Uma catástrofe completa." Nós cometemos erros. Nós mudamos. Às vezes falamos o que não devíamos e decepcionamos os outros, inclusive as pessoas que mais amamos. Em geral temos bom senso, mas às vezes nossa capacidade de julgar não é tão boa. Algumas decisões que tomamos são sábias. Outras não. Temos maus humores e dias ruins, e às vezes ficamos deprimidos. Ficamos inseguros e nos perdemos. Nem sempre sabemos ouvir. A maioria de nós faz tempestade em copo d'água – no amor e em outras áreas. Temos dúvidas e medos. E todos nós somos pelo menos um pouquinho interesseiros, temerosos, gananciosos e concupiscentes, senão em nossos atos, pelo menos em nossa imaginação. Você pode fingir que não é, pode negar, pode esconder, talvez até sublimar, mas a verdade é que você é humano. Mesmo quando é totalmente devotado ao seu parceiro ou parceira, você tem outras preocupações e interesses borbulhando em sua cabeça e em sua vida.

Quando você tem um relacionamento amoroso, é fácil esquecer com quem você convive – um ser humano como você. Você não está com uma pessoa perfeita, alguém que é incapaz de decepcioná-lo, alguém que consegue estar acima de todas as confusões ou alguém que seja menos humano do que o resto do mundo.

Nós conhecemos homens que se ressentiram e até se separaram por coisas que nunca consideraríamos tão importantes – a mulher que questiona seu julgamento, que fala dele para as amigas, tem paixões legítimas fora do casamento e da família ou que deseja passar algum tempo sozinha, longe do marido, às vezes. Mas isso é o que algumas mulheres fazem... elas são humanas. Por que isso seria errado? E conhecemos mulheres que ficam enlouquecidas se o namorado ou marido quer assistir a um jogo de futebol, ou olha para uma mulher atraente ou tem uma amiga. Mas essas são algumas coisas que alguns homens fazem... eles são humanos também.

Imagino que muita gente acha que depois de se comprometer ou de se casar o nosso parceiro ou parceira não pode mais ser humano. Por isso estabelecemos regras e quando elas não são cumpridas ficamos desnorteados, magoados, com ciúmes ou raiva. Sabotamos o nosso relacionamento simplesmente porque o nosso companheiro ou companheira é um ser humano. Não admira que tantos relacionamentos sejam sem vida ou sem nenhuma comunicação sincera. Quem ia querer ser honesto ou partilhar alguma coisa com alguém que não permite que sejamos humanos? Nós não.

Existem muitos problemas associados ao fato de não permitir que seu parceiro ou parceira sejam humanos. Nós já mencionamos o óbvio, que é ser uma atitude irreal. Mais do que isso, no entanto, quando você não permite que seu companheiro seja humano, você constrói um muro entre os dois. Se o seu parceiro não pode partilhar seus sonhos com você sem ser criticado, ele vai parar de partilhar. Isso é certo. Se você não pode conversar sobre os seus medos sem ouvir um sermão, você recorre a outras pessoas que sabem ouvir. Na verdade, a maioria dos casais perde a amizade e a intimidade por não deixarem mais o outro ser humano. O mais provável é que empurrem o outro para longe, figurativa ou literalmente.

Não estamos falando de compactuar com traições ou outros comportamentos destrutivos. No entanto, há uma sensação incrível de liberdade e de magia no fato de ver o outro como um ser humano em vez de exigir algo que não é realista e tampouco, nós achamos, desejável. Traz de volta a amizade, a humanidade compartilhada e o interesse pelo outro. Aprofunda a união e ao mesmo tempo evita que você se aborreça com pequenas coisas. Amplia sua perspectiva e o seu senso de humor. Uma pergunta que sempre fazemos, para nós mesmos e um para o outro, é: "Afinal de contas, o que há de errado em ser humano?" Supostamente é por isso que estamos aqui. Para experimentar a nossa humanidade, para crescer, para desenvolver nosso lado espiritual, para amar e para aprender.

61
FAÇA AS PAZES COM AS MUDANÇAS

Já foi dito que existem apenas duas certezas na vida: a morte e os impostos. Não é verdade. Uma terceira certeza, que é constante e que deve ser encarada no dia-a-dia, a cada momento, é a mudança. E uma das maiores dádivas que você pode oferecer a você mesmo e ao seu relacionamento é estar em paz com esse dado da vida.

Muitas vezes desejamos que fosse diferente, mas nada permanece o mesmo. Nosso corpo muda, nossa saúde também. Podemos lutar contra ela, mas a mudança continua. Nossos estados de espírito mudam, quase constantemente, assim como as nossas percepções. Num segundo nos sentimos inspirados e amorosos – então, sem mais nem menos, vem a dúvida e o medo. Algumas horas depois já estamos de volta nos trilhos.

Nosso relacionamento também está sempre mudando. Um dia nosso parceiro ou parceira diz alguma coisa muito gentil e tudo parece ótimo. Agradecemos o fato de termos esse relacionamento. Outro dia, nosso parceiro ou parceira diz alguma coisa errada ou não atende a alguma expectativa. Ficamos furiosos e podemos até pensar por que estamos juntos afinal.

Quando você resiste às mudanças, sempre fica a um milímetro do desapontamento. Consciente ou não, você está sempre de guarda porque tenta manter as coisas do jeito que são, se gosta do que está vivenciando ou luta para modificar tudo.

Há uma enorme sensação de liberdade que vem junto com a aceitação das mudanças. Saber conviver com as mudanças significa parar de exigir que a vida seja diferente do que realmente é neste momento. Por exemplo, em vez de ficar desanimado ou aborrecido quando sua parceira diz uma coisa errada, comete um erro ou está implicante e irritada, você pode sublimar isso. Você sabe que isso vai acontecer milhares de vezes durante o curso do seu relacionamento. E não faz mal, porque você também sabe que os bons momentos e os sentimentos positivos vão voltar. Ou seja, você aproveita e valoriza os bons momentos, os momentos alegres, mas não se agarra a eles com muita força. Você sabe que nada dura para sempre, inclusive os sentimentos maravilhosos que existem quando tudo está funcionando bem. Você valoriza as risadas que vocês compartilham e os sentimentos mútuos de intimidade, mas quando os humores mudam, não perde a sua objetividade... nem o amor que sente pelo seu parceiro ou parceira.

Muitas canções populares incluem mensagens como "Nada mudará", "Meus sentimentos nunca vão mudar", "Sempre amarei você assim" ou "Faça esse momento durar para sempre". Isso é cantado de diversas formas (em geral muito bonitas), mas a essência é a esperança e o sonho de que esses sentimentos apaixonados e amorosos permaneçam para sempre.

Parece-nos que um dos motivos de tanta gente ficar tão insatisfeita com seus relacionamentos é exatamente esse. As pessoas realmente amam alguém e isso é maravilhoso. Mas quando os sentimentos mudam, o pânico, ou pelo menos a decepção, se instala. Há uma sensação de "Ei, não é assim que eu quero" ou "As coisas estão diferentes. Isso não devia acontecer". O resultado é que as pessoas ficam muito infelizes e se acomodam com esse estado de espírito ou então começam a procurar outro par.

Mas não precisa ser assim. Quando você entende, e não resiste às mudanças, passa a aceitar e normalmente aproveita cada momento à medida que vão surgindo. Gasta menos energia julgando o momento e exigindo que seja diferente – por exemplo, "Eu não gosto disso" –, e usa essa energia simplesmente para vivenciá-lo. Você começa a compreender que o seu relacionamento é formado por uma série de momentos – dezenas de milhares deles –, e que esses momentos estão sempre mudando. Muitos serão momentos de felicidade, outros não. O que não quer dizer que você não prefira os felizes – todos nós preferimos –, apenas que não está disposto a entrar numa batalha perdida.

Dá para imaginar como seu parceiro ou parceira ficará muito mais à vontade quando ele ou ela se sentir amado e aceito o tempo todo, e não só quando ele ou ela se comportar de acordo com o seu plano! Não há dúvida de que a aceitação das mudanças trará paz e harmonia para todas as áreas do seu relacionamento.

62

NÃO SUPERDIMENSIONE OS DEFEITOS

Na estratégia 61 nos referimos ao fato de haver determinadas certezas na vida – a morte e os impostos entre elas. Mas há pelo menos um item adicional que pode ser incluído nessa breve lista de certezas. Se você analisar demais os defeitos do seu parceiro ou parceira, acabará conseguindo identificá-los. Poderá se convencer de que seu parceiro ou parceira tem um trabalho muito sério pela frente! Em outras palavras, se você prestar bastante atenção, vai ser capaz de validar o fato de o seu parceiro ou parceira – a pessoa que você ama – ter muitos defeitos. Invariavelmente, seu inteligente trabalho de detetive criará dúvidas e ressentimentos muito sérios quanto ao seu relacionamento. Quanto mais você analisar, mais chances terá de cair na armadilha da "paralisia analítica" – a tendência de abusar do seu poder de raciocínio.

O problema dessa tendência quase insidiosa é que ela praticamente garante que o seu relacionamento vai sofrer. Vamos encarar os fatos. A maioria de nós é bastante inteligente.

Quando procuramos alguma coisa – isto é, pensamos bastante – quase sempre encontramos e abalizamos o que estamos procurando.

Conhecemos pessoas em todos esse anos que achavam que seu relacionamento era basicamente muito sólido e cheio de amor. Mas elas resolveram que consultar um bom terapeuta ou conselheiro matrimonial poderia ser uma boa idéia para ajudálas a crescerem juntas. No entanto, o que ocorreu foi que o terapeuta encorajou-as a analisar e a ponderar seus "conflitos". Essas pessoas fizeram isso e quase acabaram se divorciando.

Por favor, não me entenda mal. Não tenho nada contra os terapeutas. Na verdade, muitos são meus amigos e tenho por eles um respeito enorme. Há muitas ocasiões em que a terapia pode ser tremendamente útil e, de fato, muitas vezes pode salvar casamentos ou relacionamentos em perigo. No entanto, você deve tomar cuidado com um aspecto do aconselhamento que é a tendência de analisar demais as coisas que o incomodam. Se você refletir bem, vai observar que toda vez que analisa demais qualquer coisa que o incomoda, acaba um pouco desanimado, frustrado ou zangado. No mínimo fará tempestades em copos d'água – das grandes! Acho que você vai concordar que esses não são sentimentos apropriados para aumentar o amor em seu relacionamento.

Da próxima vez que se surpreender analisando demais o seu relacionamento, veja se consegue recuar – só um pouquinho. E faça a seguinte pergunta: "Estou mesmo aborrecido com a minha parceira (ou parceiro) – ou o fato de estar completamente envolvido nesse raciocínio está contribuindo para enfatizar meus sentimentos de desamor?" Você pode se espantar com o que vai descobrir! Quando você recuar do seu raciocínio analítico – mesmo que só um pouco – sua irritação começará a diminuir e seu amor vai voltar. Você descobrirá que se algo for realmente significativo, estará lá para ser discutido e pensado depois de você dar uma chance justa para que se desfaça. Por isso, a nossa sugestão é a seguinte: pare de analisar demais os defeitos do seu parceiro ou parceira e terá menos coisas contra as quais se digladiar.

63

RESOLVA SER SOLIDÁRIO (KRIS)

Todo relacionamento tem sua parcela de altos e baixos. Todos nós sabemos que a vida fica mais fácil quando as coisas estão indo bem. Também sabemos que a história é bem diferente quando aparecem os problemas. Mas você pode evitar que os "baixos" inevitáveis se precipitem ainda mais resolvendo ser solidário.

Trish e Gavin estavam casados havia dez anos quando inesperadamente Gavin perdeu o emprego. Moravam numa cidade onde era muito improvável que ele conseguisse emprego na mesma indústria, e que chegasse perto do salário que recebia. Com dois filhos pequenos e um financiamento pesado da casa, eles tinham bons motivos para ficar assustados.

Trish lidou com essa crise de um modo tão corajoso e com tanta sabedoria que achamos que devíamos contar para você. Por mais assustador que fosse (e era mesmo), ela tomou a decisão de continuar solidária. Em vez de reclamar ou diminuir Gavin mesmo da forma mais branda, ela deixou perfeitamente claro que faria tudo o que fosse necessário para apoiar o esforço dele. Afirmou que acreditava nele, independentemente do que tinha acontecido ou do que eles pudessem ter de enfrentar no futuro. Não o culpou nem fez nada para que ele se sentisse mal. Ela nem reclamou para as amigas, nem comparou a situação deles com a de ninguém. Estava perfeitamente disposta a se mudar da casa que adorava, voltar a trabalhar, reduzir seu padrão de vida. Qualquer opção, ou todas, ela enfrentaria muito bem. Em vez de se concentrar no que estava errado, ela continuou grata por tudo o que eles tinham. Transformou-se num pilar de força e um exemplo do que há de bom num relacionamento.

Muita gente pode ter reagido a uma crise como essa oferecendo apoio e solidariedade, mas o que fez da resposta de Trish uma atitude única foi seu alto-astral. Ela não estava sendo solidária com uma pontinha de ressentimento. Ao contrário, o apoio que oferecia era genuíno e partia do fundo do coração. Não era "fachada", era real.

Ressentimentos e outras formas de negativismo são atitudes fáceis de se adotar em tempos difíceis. Teria sido muito fácil, por exemplo, Trish sentir pena dela mesma ou fazer pequenos comentários revelando seu desprazer.

Para encurtar a história, os dois tiveram de vender a casa e mudar para outra cidade. Mas em vez de separá-los, isso se transformou numa aventura que deu mais força ainda ao compromisso e ao amor dos dois. Gavin acabou mudando de carreira e durante um período a renda da família ficou bem apertada. Mas com o tempo a situação melhorou.

Não há dúvida de que Gavin vai lembrar o apoio de Trish enquanto viver. Quando fala dela, é com enorme respeito e gratidão. Duvido seriamente que seria assim se a resposta dela fosse mais típica.

Todos nós podemos aprender com a experiência desses dois e com o modo que Trish se comportou – Richard e eu certamente aprendemos. É óbvio que a reação dela ajudou Gavin a se manter concentrado em ajudar a resolver o problema em vez de ficar se sentindo por baixo. Isso também serviu para reforçar a idéia de que nem sempre temos controle sobre o nosso destino – mas que temos algum controle sobre a reação que escolhemos ter diante da adversidade. Mais uma vez lembramos que as circunstâncias não fazem o casal, elas o revelam. Trish revelou-se uma parceira que resolveu ser solidária. Funcionou para eles e pode funcionar para você.

64
AVANCE NO TEMPO E OLHE PARA TRÁS

Um dia estávamos almoçando juntos quando Kris perguntou: "Algum dia, quando olharmos para trás, gostaria de saber o que vamos lembrar melhor e o que terá sido mais importante." Quanto mais pensávamos na resposta, mais claro ficava que aquela era uma pergunta importante. E desde então, conhecemos muitos casais que fazem o mesmo tipo de exercício mental e até agora todos parecem concordar que é interessante e útil.

Por alguma razão, tudo fica mais claro e substancialmente menos urgente quando visto de certa distância. Com tempo suficiente você acaba conseguindo pôr as coisas na sua devida perspectiva e diferencia o que é realmente relevante e o que só parece relevante naquele momento. Quando você imagina estar olhando para trás e vendo a sua vida é como se despersonalizasse a sua experiência, como se visse com mais objetividade.

Lembro que pensei o quanto íamos enfatizar os bons momentos mais que os maus, e nossas experiências positivas mais que as negativas. Kris observou corretamente que muitas vezes já olhamos para trás e lembramos o que tinha sido difícil ou doloroso e que, em retrospecto, apontamos essas experiências entre as mais importantes para o nosso crescimento pessoal e enriquecimento de nossas vidas. Por exemplo, se não tivéssemos quase morrido num acidente de automóvel, poderíamos não dar tanto valor à vida. Se não tivéssemos passado por apertos financeiros e feito maus investimentos quando éramos jovens, não poderíamos apreciar por completo o luxo de ter o bastante ou a importância de ajudar aos menos afortunados que nós. Se não tivéssemos sentido dor física, não daríamos tanta importância aos cuidados que temos conosco nem poderíamos apreciar a bênção que é não sentir dor. Se não tivéssemos perdido bons amigos, para sempre, por causa de motoristas bêbados, talvez não pudéssemos apreciar a importância de diminuir a marcha para poder aproveitar cada dia precioso e para reconhecer que coisas ruins também acontecem com gente boa.

Kris ficou imaginando as outras dádivas, disfarçadas de experiências dolorosas, que lembraríamos mais tarde, mais adiante no caminho. Ela riu quando disse: "Tenho certeza de que não vamos olhar para trás e dizer, se aquelas briguinhas diárias não tivessem acontecido, teríamos sido muito mais felizes." Ao contrário, percebemos que, no fim das contas, a maioria das coisas que nos perturbam tanto seriam lembradas como coisas completamente irrelevantes, se é que seriam lembradas.

Qualquer implicância, discussão ou necessidade de afirmação seriam vistas como realmente são... um triste desperdício de tempo e de energia.

O que vamos achar mais relevante será o amor que pudemos compartilhar um com o outro e com as outras pessoas, a bênção incrível que são nossas duas filhas e a alegria que trouxeram para a nossa vida, e todo crescimento espiritual e descobertas que fizemos na nossa breve jornada aqui na Terra.

Concordamos que o que seria menos importante seriam nossas pequenas frustrações um com o outro, nossa obsessão pela realização, nossas preocupações com coisas como nosso peso, aparência física, a casa em que moramos e com a limpeza dela, bens materiais ou o tamanho da nossa conta no banco. Não é que essas coisas, e tantas outras como estas, não sejam importantes numa boa vida – mas são menos significativas que as outras.

Outros casais apontam para descobertas semelhantes quando praticam esse exercício. Os amigos disseram, no meio de uma fase difícil: "Aposto que até isso, por mais doloroso que pareça, será insignificante quando olharmos para trás. Por que não tomamos logo a decisão de esquecer essa frustração agora mesmo?" É a perspectiva ampliada dessa forma que permite que os casais parem de fazer tempestade em copo d'água e comecem a se concentrar nas coisas mais importantes.

É disso que trata essa estratégia. É aprender a deixar para lá as coisas que você sabe, no fundo do coração, que não valem a pena o aborrecimento. Afinal de contas, se você sabe que uma coisa parecerá insignificante mais tarde, por que não considerá-la insignificante desde já?

Queremos que você pare um pouco e reflita sobre esse exercício. Vá em frente e dê um salto mental para o fim da sua vida. Agora olhe para trás e observe o que está vendo. Com um pouco de sorte, vai notar uma ou duas coisas que talvez queira modificar – uma prioridade, um hábito, uma idéia derrotista ou uma atitude em relação à vida. Na pior das hipóteses, vai achar um exercício interessante. Na melhor, ela vai modificar sua maneira de ver as coisas.

65

LEMBRE A EQUAÇÃO: UMA PESSOA FELIZ É IGUAL A UM PARCEIRO FELIZ

Às vezes, as equações mais óbvias são as mais desprezadas. Você sabe, coisas como: "Se você quer se sentir bem, precisa se cuidar." Óbvio? Claro, mas quantos de nós realmente fazem isso? Ou: "Se você gastar muito dinheiro com seu cartão de crédito nas férias, vai lamentar em janeiro." Mais uma vez é bem óbvio, mas a maioria faz isso assim mesmo.

Essa estratégia pertence a essa categoria. Não importam os motivos, em geral optamos pela conveniência pessoal ou por qualquer outra razão egoísta em vez de cuidar da felicidade do nosso parceiro ou parceira. No entanto, isso viola uma equação muito clara – que uma pessoa feliz é igual a um parceiro feliz – e gera um estresse e uma tensão desnecessários em seu relacionamento.

Estamos convencidos de que não é sua responsabilidade fazer seu parceiro feliz. Na verdade, há uma estratégia inteira neste livro dedicada à idéia de que todos nós devemos nos responsabilizar pela própria felicidade. No entanto, há coisas que todos podemos fazer – coisas pequenas, bem simples – que certamente contribuem para a felicidade do nosso parceiro ou parceira. E quando ele ou ela está feliz, torna-se uma companhia muito mais agradável. Uma pessoa feliz também tende a ser melhor ouvinte e amante mais apaixonado, tem mais inclinação para compartilhar a alegria dos outros, é mais generosa e tem mais compaixão, e provavelmente estará mais equipada para tomar decisões que aprimoram a qualidade do relacionamento.

Então, qual é o mistério?

O mistério é que de vez em quando é inconveniente tomar decisões que deixam seu parceiro feliz. Ou então, elas exigem algum sacrifício. Ou então, criam um certo desconforto para você. Mas no fim, quase sempre vale a pena. Não só para ver seu parceiro feliz, mas também como estímulo para o relacionamento.

Por exemplo, para Kris é inconveniente me encorajar a passar algum tempo sozinho – especialmente porque eu já viajo muito a trabalho. Quando estou fora, ela tem de trabalhar mais. Então por que ela diz que eu devo, quando muitos outros homens e mulheres não fariam isso ou no mínimo reclamariam disso? A resposta é que, além de simplesmente ter consideração, ela sabe que gosto muito de ficar sozinho às vezes. E quando estou mais feliz, sou um marido e um pai melhor. Fico mais divertido, mais leve e colaboro mais, além de ficar mais tranqüilo e mais paciente.

Procuro dar à Kris o mesmo respeito e estímulo em troca.

Não é nada conveniente, mas se ela deseja sair da cidade para visitar amigos, ou qualquer coisa assim, procuro colaborar o mais que posso para que isso aconteça. Não consigo me imaginar reclamando de alguma coisa que a faz feliz. Além do mais, Kris gosta muito de cavalos e de estar com eles sempre que possível. Apesar de não ser nenhum amante de cavalos, procurei nesses anos todos não só atender aos desejos dela, mas também estimulá-la, ajudá-la e apoiá-la. Na verdade, uma das minhas tarefas diárias é juntar esterco de cavalo! Certamente eu não *tenho* obrigação de dar esse apoio... nem a Kris. Mas por que não fazer isso? Nós nos viramos tentando, sempre que possível, tomar decisões voltadas para a felicidade um do outro. Nem sempre pomos o outro em primeiro lugar mas, no fim das contas, nos saímos bastante bem.

Talvez a sua parceira tenha passatempos ou interesses especiais que consomem seu tempo e sua energia. Ou talvez ela pertença a um clube ou organização que não tem nada a ver com você. Talvez ele goste de assistir aos jogos esportivos com os amigos ou de fumar charutos. Ou então ela pode ter amigos especiais que goste de visitar ou conversar ao telefone. Talvez ela goste de praticar exercícios bem cedo de manhã, fazendo com que você tenha de se envolver mais nas tarefas matinais do dia-a-dia em casa. Pode ser qualquer dessas coisas ou outra diferente. Mas seja o que for, deve exigir alguma acomodação, comprometimento ou sacrifício da sua parte. Se esse for o caso, não faça tempestade em copo d'água! Se a deixa mais feliz, provavelmente vale a pena.

66

PEÇA "ATUALIZAÇÃO DE SONHOS"

Você sabe quais são os sonhos do seu companheiro ou companheira? O que ele ou ela realmente quer da vida? Sabe quais são suas fantasias secretas, o que ela se imagina fazendo, a vida ideal, o que a completaria? Tem certeza? Ou está simplesmente supondo que sabe? Já perguntou? E se perguntou, quando foi a última vez?

Temos a impressão de que muitas pessoas praticamente não têm idéia, além da superficial, de quais são realmente os sonhos do outro. É claro que muita gente é capaz de dizer, por exemplo: "Ele quer segurança financeira" ou "Ela quer ter filhos". Mas fora essas preferências quase universais, a consciência dos sonhos do parceiro, ou a preocupação com eles, não vai muito além disso. Essa tendência parece aumentar na proporção direta com a duração do relacionamento. Quando vocês se conhecem e se apaixonam, se interessam muito pelos sonhos do outro. Mas à medida que o tempo vai passando, eles vão ficando mais distantes, até que um dia praticamente desaparecem.

É óbvio que um relacionamento inclui muitas facetas. Mas no que diz respeito à sensação de união, uma das coisas mais prazerosas e estimulantes é compartilhar os sonhos. É muito enriquecedor e gostoso contar para alguém nossas visões, o que gostaríamos de fazer, para onde gostaríamos de ir e de que forma gostaríamos de contribuir. E quando a pessoa com quem estamos dividindo isso está muito presente, compartilhando seus sonhos, ouvindo com verdadeiro interesse e respeito, seus sonhos adquirem vida e essa experiência compartilhada pode ser quase mágica. Não há dúvida de que esse tipo de interação ajuda a unir duas pessoas. E felizmente pode também ajudar a reunir duas pessoas que perderam de vista os sonhos um do outro.

Nesses anos todos conversamos com dezenas de pessoas que tiveram casos extraconjugais, que abandonaram ou se divorciaram dos cônjuges, ou simplesmente perderam por completo o interesse no relacionamento. Quando perguntávamos "Por que acha que isso aconteceu?", em quase todos os casos a pessoa incluía na resposta: "Meu novo parceiro (ou parceira) sabia me ouvir, ele (ou ela) estava realmente interessado nos meus sonhos e no que eu tinha para dizer."

De jeito nenhum estamos desculpando a infidelidade, nem o fato de culpar o companheiro ou companheira que foi infiel. Fazer isso seria irresponsável. Mas estamos tentando chamar a atenção para o poder da necessidade de ser "ouvido". E também para a importância do poder de destruição que existe quando essa necessidade não é atendida.

Quando uma pessoa se sente bem partilhando seus sonhos – quando pedem para que os revele –, a experiência gera uma sensação de segurança, de satisfação e de animação. Ao contrário, quando a pessoa não se sente bem dividindo seus sonhos – quando ninguém quer saber –, em geral existe uma sensação de que alguma coisa está faltando.

A idéia de pedir atualização dos sonhos é uma estratégia poderosa porque o fato de os sonhos se tornarem ou não realidade é menos relevante do que o fato de o seu parceiro saber e se importar com o que você quer. Vamos encarar a realidade: ninguém tem tudo o que quer. No entanto, é bom poder partilhar seus sonhos – e saber que outra pessoa compartilha conosco.

Pedir uma atualização dos sonhos pode trazer a magia de volta para o seu relacionamento. Todo mundo gosta de contar seus sonhos. Por isso, a partir de hoje, não esqueça de pedir uma atualização dos sonhos do seu parceiro ou parceira. Estará contribuindo para transformá-los em realidade.

67

NUNCA SUBESTIME O PODER DO AMOR

Anos atrás eu estava dando um seminário sobre relacionamentos quando alguém da platéia levantou-se e perguntou: "Por que eu deveria ser carinhoso com a minha mulher? Ela não é carinhosa comigo!" O palestrante respondeu com gentileza, sem nenhum tom de crítica: "Porque você precisa praticar."

As palavras dele me atingiram como uma tonelada de tijolos e nunca mais esqueci. O conselho dele acertou, e ainda acerta, bem na mosca. Na verdade, não consigo me lembrar de uma única pessoa que não precise de mais prática na arte de agir com amor. Você consegue? Você conhece pessoas que já dominaram a arte da bondade amorosa? Se conhece, eu adoraria conhecê-las.

Com raras exceções, todos nós precisamos praticar o amor incondicional. Todos podemos abaixar um pouco as defesas, ser menos egoístas e reagir menos. Seria melhor para quase todos se fôssemos melhores ouvintes, mais bondosos, mais gentis e um pouco mais generosos. Mas adotar essas qualidades exige prática – não tanto quando a sua parceira já é amorosa e solidária, e sim naqueles momentos em que ela sai dos trilhos e age com desamor. Em outras palavras, é fácil ser bondoso e amoroso quando a sua parceira já está fazendo isso. Quando ela não está, é outra história, completamente diferente.

Você pode transformar o seu relacionamento para sempre utilizando o poder do amor. Se conseguir responder com amor em vez de reagir com frustração, se conseguir se manter carinhoso em vez de levantar a guarda, e se puder continuar de coração aberto, mesmo quando parecer que não é necessário, você descobrirá o poder do amor e o modo mais eficiente de garantir relacionamentos duradouros e estimulantes em sua vida.

Utilizar plenamente o poder do amor parece fácil, mas não é. No entanto, não é tão difícil como você deve estar imaginando. A única coisa que você precisa é da intenção de fazer isso e, como já deve ter adivinhado, de muita prática. Quando a sua parceira estiver sendo carinhosa e atenciosa, aproveite e dê valor. Quando ela não estiver assim, é hora de você "ligar" seu coração. Em vez de insistir para ela agir de outro modo, faça o melhor possível para ser compreensivo e dê amor incondicionalmente. Releve. Perdoe e ouça bem. Mantenha seu senso de humor e seja solidário.

Uma das qualidades mais misteriosa e mágica de todos os relacionamentos é a interligação que acontece entre duas pessoas. Quando seu coração está cheio de raiva, provavelmente seu relacionamento vai sofrer com isso. Quando você é exigente e agressivo, sua parceira tenderá a se fechar. Quando sua mente está cheia de pensamentos negativos, sobre o que não está certo na sua parceira, e outras formas de negativismo, sua companheira de algum modo vai sentir essa sua má vontade e ficará distante, com a guarda levantada. O relacionamento de vocês não será tudo o que pode ser... nem chegará perto.

Por outro lado, na maioria dos casos, quando seu coração está repleto de amor, sua parceira sentirá isso também! Ela abaixará as defesas e, em geral, recuperará uma postura mais amorosa. Quando seu companheiro (ou companheira) diz ou faz alguma coisa "errada" e você consegue deixar para lá e continua carinhoso, ele (ou ela) se recupera com mais facilidade do que se você reagisse com pensamentos negativos de retaliação. Se você conseguir manter uma atmosfera interior de amor, sem se distrair muito com qualquer comportamento que não seja perfeito, a maioria dos conflitos se resolve rapidamente. Não estou me referindo a enterrar sua cabeça na areia ou aceitar um comportamento abusivo, e sim a aprender a deixar para lá as coisas pequenas para seu coração poder continuar aberto.

Da próxima vez que você estiver agitado ou aborrecido com seu companheiro (ou companheira), experimente uma estratégia diferente. Em vez de dar continuidade ao ciclo típico e praticamente universal de exigir que ele (ou ela) seja o primeiro a mudar, fique aberto para a possibilidade de agir com amor, apesar de tudo. Você pode se surpreender com a rapidez com que as coisas vão melhorar. Nunca subestime o poder do amor.

68

NÃO DEIXEM SEUS FILHOS FICAREM ENTRE OS DOIS

Creio que Kris e eu fizemos um ótimo trabalho nessa categoria. Amamos nossas filhas mais do que tudo no mundo. Nós as adoramos, queremos o melhor para elas e dedicamos a maior parte da nossa vida a elas. Elas completam nossas vidas e não há dúvida de que são nossa prioridade máxima.

Só que nós nos amamos também. Demais! E não dizemos isso só por dizer – é verdade. Somos os maiores companheiros e melhores amigos. Gostamos demais de ficar juntos, de compartilhar, dar risada, amar um ao outro, bancar os bobos, sair ou simplesmente ficar em silêncio. Somos parceiros.

Resolvemos há muito tempo que nada – nem mesmo as nossas filhas – jamais ficaria entre nós. Além disso nós percebemos, logo no início, que uma das mensagens mais importantes que poderíamos passar para nossas filhas era dar o exemplo como pais que realmente se amam *e* gostam um do outro, duas pessoas que põem o outro em primeiro lugar e que estão sempre querendo ficar juntas, apesar de termos uma família para criar e cuidar.

Parece que trabalhamos muito bem. Nossas filhas sabem o que sentimos um pelo outro. Elas compreendem, lá no fundo, que temos respeito e admiração um pelo outro, que ficamos sempre do lado do outro, que concordamos na maioria dos assuntos e que, mais que tudo, amamos um ao outro. Não existe dúvida nenhuma para elas. Na verdade isso está tão claro para as duas que uma delas costuma perguntar nas manhãs de sábado: "Aonde vocês vão hoje à noite?" ou "Quem vai ficar tomando conta de nós esta noite?" Elas imaginam que vamos sair juntos porque sabem que é importante para nós, assim como é importante para elas passar um tempo com suas melhores amigas. Para elas pareceria estranho se não fizéssemos isso.

Cada casal de pais obviamente é diferente e terá valores e níveis de conforto diferentes no que diz respeito a essa questão. Nosso objetivo não é fazer com que outros casais dêem prioridade às suas vidas como nós fizemos. No entanto, para nós, temos a certeza de estarmos fazendo a coisa certa, não só para o nosso relacionamento, mas para as crianças também. Achamos que as expectativas delas quanto aos namorados e futuros maridos serão bem elevadas. Esperamos que elas acabem procurando companheiros que dêem valor não só aos filhos (se os tiverem), mas ao relacionamento também. Conhecemos muitos casais de pais que, mesmo anos depois de terem seus filhos, raramente saem sozinhos, e alguns poucos que nunca saem. Sempre achamos que mesmo se vocês não se "curtirem" muito, e se seu único objetivo é dar um recado positivo para seus filhos sobre relacionamentos, que vocês devem dar prioridade ao seu relacionamento, pelo menos de vez em quando. Senão eles podem crescer achando que um relacionamento "normal" não requer, nem merece, nenhum tempo ou esforço. O relacionamento será entendido como algo secundário, se não dispensável.

Já foi dito milhões de vezes, mas vale a pena repetir mais uma: se você quer ter um relacionamento amoroso, deve dar prioridade a ele e tratá-lo como algo importante. A verdade é que o que importa são seus atos. Você pode dizer "Meu casamento é muito importante", mas seus atos podem estar dizendo uma coisa inteiramente diferente. Você pode não estar passando praticamente tempo algum com sua mulher ou saindo só os dois. Não é assim que você se comportaria se seu objetivo fosse parecer amoroso. Afinal de contas, você passa algum tempo com os filhos em família, e passa um tempo no trabalho, cumprindo tarefas, fazendo compras ou qualquer "coisa", e diante da televisão, então por que não com o seu ser amado? É isso que você espera do seu filho ou filha, que ele ou ela cresça e nunca, jamais, passe algum tempo sozinho com a mulher dele, se tiverem filhos?

Finalmente, quando vocês passam um tempo juntos, apesar de terem filhos, estão enviando uma mensagem poderosa um para o outro, dizendo que cada um de vocês é importante, e o seu relacionamento também. É mais difícil fazer tempestade em copo d'água com o seu parceiro ou parceira quando os dois sabem que são importantes um para o outro. Por isso, faça como quiser, e até o ponto que desejar, mas considere a importância de pôr o seu relacionamento em primeiro lugar. Se fizer isso, todos sairão ganhando.

69

APRENDA A DESVIAR COMENTÁRIOS IMPRÓPRIOS OCASIONAIS

Parece que não há como passar pela vida sem dizer algumas grandes bobagens. A menos que você seja único, vai escorregar de vez em quando, quando está cansado, inseguro, rabugento ou simplesmente de mau humor. Às vezes, por melhor que você seja, ou por mais puras que sejam as suas intenções, você diz alguma coisa insensível, condescendente, arrogante, maliciosa ou apenas imprópria. Pode ser crítico demais, reagir à toa ou pode fazer algum comentário sobre a aparência ou a inteligência de alguém. Ou então vai fazer um sermão desnecessário para alguém ou se passar por ignorante ou mesquinho. Provavelmente tudo isso. O fato é que você é humano.

Mas a sua companheira também é! E os seres humanos cometem erros.

Se você puder fazer concessões ao fato de que seu parceiro, como você, vai errar de vez em quando, terá uma vantagem que poucos aproveitam. Além do mais, sua atitude de aceitação praticamente vai garantir que o número de vezes que isso acontecerá será mínimo. O fato de você parar de insistir para que o seu parceiro seja perfeito criará uma atmosfera emocional que fará aflorar o que ele tem de melhor. Ele não vai sentir que tem de caminhar sobre ovos ou que você mantém um placar do comportamento dele. Quando alguém não se sente pressionado para ser perfeito, a resposta mais comum é a leveza, o coração aberto, uma atitude mais amorosa.

Tudo bem, você tem um relacionamento. Seu parceiro está cansado e de mau humor. Ele diz algo estúpido ou impróprio. Toda vez que isso acontece, você se vê numa encruzilhada. É claro que você pode (como faz a maioria) reagir. Pode responder na mesma moeda ou se defender de um jeito ou de outro. Pode encher a sua cabeça de raiva ou hostilidade e ficar furiosa ou ressentida. Pode pensar em todas as vezes em que seu parceiro fez a mesma coisa e ter pena de você mesma. Pode até bater a porta e ligar para uma amiga para conversar sobre isso.

Ou então pode rolar os olhos nas órbitas e aceitar o fato de que todos nós dizemos e fazemos coisas que não devemos, de vez em quando. Ponto final, acabou o assunto. Você pode simplesmente deixar para lá e continuar carinhosa.

De qualquer forma, o comentário já foi feito. Pode muito bem ser passado, porque não pode ser retirado. Este é um novo momento, uma nova oportunidade para continuar amorosa.

Considere como as duas reações são recebidas pelo seu parceiro. Ele já foi insensível. Agora é a sua vez. Você aumenta o problema provando que não consegue lidar com ele, que também não é capaz de amar incondicionalmente? Ou você tenta dar um exemplo melhor? Será que você consegue usar o amor, em vez da vingança, como solução? Nós achamos que você vai descobrir que o amor é o remédio mais poderoso para quase todos os pequenos conflitos do dia-a-dia, inclusive esse. Tanto que quando você não reagir ao comentário, ao contrário, continuar amorosa, muitas vezes verá seu parceiro rindo dele mesmo, se não pedir desculpas pelo mau comportamento.

É óbvio que estamos nos referindo a um relacionamento normalmente saudável e amoroso, e como respondemos a uma frase sem pensar *ocasional* ou a um comentário desnecessário. Não estamos falando aqui de desculpar um comportamento violento, nem *padrões* de comportamento negativo. Isso é uma história completamente diferente.

Por isso, da próxima vez que acontecer, experimente essa nova maneira de responder, ou de não responder, conforme o caso. Você pode descobrir que é mais fácil do que você imaginava começar a considerar os comentários fora de propósito ocasionais como "copos d'água", sem importância. E já que são "copos d'água", você pode deixar para lá e continuar apaixonada.

70
NÃO CHEGUE EM CASA DESGASTADO

Essa é uma maneira simples mas dramática de tornar suas interações mais pacíficas depois de um dia longo e cansativo. Em muitos casos pode ajudá-lo/a a ser mais paciente e compreensivo/a, e ao mesmo tempo faz com que aquela transição muitas vezes difícil entre o trabalho e o lar fique muito mais fácil. No dia-a-dia pode ajudá-lo/a a se reconectar ao ser amado, lembrando por que vocês estão juntos, para começo de conversa.

É extremamente comum um de vocês (às vezes os dois) chegar em casa depois de um longo dia de trabalho como se estivesse cruzando a linha final de uma corrida. O ritmo frenético e caótico do trabalho é levado para dentro de casa. Sem se dar conta, você pode estar irrompendo pela casa ainda acelerado/a e com a carga máxima do seu dia.

O bom senso nos diz que quando estamos acelerados, frenéticos e apressados, perdemos muitas das nossas melhores qualidades humanas – a paciência, a capacidade de ouvir com atenção, a objetividade, a sensatez, a sensação de paz e a nossa capacidade de ser verdadeiramente carinhoso/a. Quando estamos em estado de muita agitação mental, ficamos mais nervosos e aborrecidos. Sem saber, podemos ser exigentes demais e elevar nossas expectativas. Quase sempre reagimos mais e as coisas nos incomodam com mais facilidade, especialmente as coisas pequenas. Conseqüentemente, quando você e seu parceiro ou parceira começam a conversar e estão juntos à noite, você está menos inclinado/a a prestar atenção e a estar realmente "presente". Pode ficar um pouco distraído/a e, sem dúvida, coisas que não teriam tanta importância passarão a incomodá-lo/a.

A solução é bem simples e pode levar apenas alguns minutos. Antes de ir para casa, estacione seu carro e saia dele. Use alguns minutos para desacelerar, respirar e relaxar seu corpo. Lembre que seu dia de trabalho terminou e que é hora de mudar de marcha, de desacelerar. Se houver um banco de praça onde possa sentar-se, ou um lugar de onde possa admirar o pôr-do-sol ou observar a natureza, ótimo, mas não é crucial. O que é mais importante é reconhecer conscientemente que é do seu interesse ser capaz de desacelerar e relaxar. Além de se sentir melhor, sua parceira também vai apreciar a diferença em você. Sejamos realistas. Pouquíssimas pessoas gostam que alguém – independente do quanto amam essa pessoa – apareça feito um furacão e desestabilize as coisas.

Conhecemos um casal que utilizou uma variação dessa

estratégia e praticamente salvou o casamento deles. O marido era um exemplo dessa tendência que descrevemos. Cheio de boas intenções, ele entrava pela porta de casa e imediatamente começava um bombardeio de perguntas e de explicações de como o seu dia tinha sido difícil. Ele estava tão acelerado que ficava impaciente com o comportamento aparentemente calmo da mulher. Ela não suportava o que chamava de "energia nervosa" do marido. Era a hora do dia em que ela começava a se sentir mais relaxada, e a presença dele definitivamente arruinava a sua noite. Chegou ao ponto de temer a volta dele para casa.

Os dois consultaram uma conselheira matrimonial que sugeriu uma solução brilhante. Ela disse para o marido entrar pela porta dos fundos e não pela porta da frente quando voltasse para casa do trabalho. Ele devia ir direto para um banho relaxante de banheira de quinze minutos. Isso provocou duas coisas. A primeira de fato ajudou-o a relaxar, tanto o corpo quanto a mente. Mas o que é mais importante é que fez com que ele lembrasse que sua "realidade acelerada" não era compartilhada pela mulher dele. Ela gostou tanto desse esforço simples que por sua vez passou a reagir bem menos quando ele tinha alguma recaída.

Com o tempo, isso deixou de ser um conflito para esse casal. Ele desacelerou e ela parou de se importar tanto. Hoje em dia eles estão tão felizes quanto qualquer casal pode ser. É óbvio que essa estratégia terá importância relativa, dependendo do ritmo mais ou menos acelerado de um de vocês ou dos dois. No entanto, esperamos que você não subestime a importância de não voltar para casa numa correria desenfreada. Fazer essa transição do trabalho para casa mais lentamente pode significar um lucro enorme para o seu relacionamento.

71

FAÇA ESSA PERGUNTA AO SEU PARCEIRO: "QUAL A PARTE MAIS DIFÍCIL DE TER UM RELACIONAMENTO COMIGO?"

E compreensível que, para muitas pessoas, essa pode ser uma experiência assustadora. O medo, é claro, reside em conhecer o que você pode descobrir – ou o que o seu parceiro ou parceira pode dizer para você, tendo a permissão de falar francamente. É óbvio que você pode já saber ou pelo menos ter uma boa idéia do que incomoda seu parceiro ou parceira, por isso a resposta talvez não seja nenhuma surpresa. No entanto, fazer a pergunta é totalmente diferente de receber sermões ou pedidos não solicitados do seu parceiro ou parceira.

É claro que essa estratégia exige uma abertura e um certo grau de coragem e de humildade. Mas apesar de qualquer desconforto inicial que você possa sentir, quase sempre vale a pena, e não será tão difícil quanto você imagina. Ao contrário, a pergunta costuma suscitar abertura, comunicação franca e finalmente uma sensação de gratidão. Afinal de contas, quase todas as pessoas apreciam um parceiro ou parceira que procura aprimorar concretamente o relacionamento.

Esse é um verdadeiro atalho para um relacionamento melhor. É importante reconhecer que, resolvendo fazer ou não essa pergunta, existem coisas em você que incomodam seu parceiro ou parceira. Ou seja, de qualquer modo, a questão está lá, em silêncio ou revelada. Você pode tentar mantê-la guardada, mas isso costuma gerar ressentimentos. Em outras palavras, se você permanecer em silêncio, sua companheira terá de continuar a viver com o que a incomoda. Se você fizer a pergunta, então ao menos saberá o que ela não gosta e terá a oportunidade de fazer alguma adaptação.

É interessante observar o que acontece com a insatisfação da outra pessoa quando você concede e até incentiva o privilégio de pôr para fora o que quer que a preocupa. Muitas vezes, quando você quer saber a resposta sinceramente e sem ficar na defensiva, o incômodo provocado por essa questão desaparece. Quando você se dispõe a encarar seus problemas em vez de resistir a eles ou negá-los, sua parceira percebe seu desejo sincero de se empenhar para efetuar uma mudança positiva. Ele ou ela, por sua vez, tenderá a abaixar a guarda e a reagir menos a esse problema, e muitas vezes será capaz de discutir o assunto com calma e até com carinho. Ou seja, será mais difícil para ele ou ela fazer tempestade em copo d'água em relação ao que está incomodando se ele ou ela tiver consciência dos seus esforços para corrigir o problema.

Alguns anos atrás Kris e eu estávamos passeando de mãos dadas por uma linda cidade litorânea no norte da Califórnia. O sentimento entre nós dois era de carinho e eu me sentia seguro. Essa foi a primeira vez que me ocorreu fazer essa pergunta... e eu fiz. Para minha felicidade, Kris achou que era uma pergunta "fofa". Depois de refletir um pouco ela disse: "Sabe o que realmente me incomoda em você?" Ela fez uma pequena pausa e depois continuou: "Você fica muito chato no dia em que paga suas contas." E ela explicou que, de fato, eu fico impaciente e tudo me aborrece, e sinto pena de mim mesmo cada vez que sento para assinar um cheque.

Foi um alívio para mim saber que das milhares de coisas que ela podia ter dito, ela escolheu uma coisa relativamente pequena! No entanto, como eu sinceramente queria saber o que a incomodava em mim, foi fácil aceitar e entendi exatamente o que ela quis dizer. Pensando naquilo, ficou claro que a minha personalidade sofria uma transformação negativa cada vez que eu sentava para pagar minhas contas. Sem ficar nem um pouco na defensiva, agradeci a Kris por dizer aquilo e fiz uma promessa mental de ficar de olho nessa tendência no futuro.

É óbvio que essa foi uma questão relativamente pequena. No entanto, Kris chamou a minha atenção para uma coisa que eu não via. A minha reação ao pagamento de contas tinha se tornado um mau hábito que afetava de forma negativa o que ela sentia quando estava comigo. Eu estava fazendo tempestade em copo d'água. Não fazia idéia de que a minha personalidade inteira e meu estado de espírito se modificavam antes, durante e depois do pagamento das contas – mas ela estava certíssima. Como então fiquei sabendo que esse problema afetava a Kris, foi relativamente fácil fazer alguns ajustes na minha atitude nos meses seguintes e deixar a vida na nossa casa um pouco mais tranqüila nos dias de pagar as contas.

Achamos que você deve experimentar essa estratégia. Seu companheiro ou companheira pode revelar para você alguma coisa pequena ou algo mais sério. Qualquer que seja o caso, vocês estarão se abrindo num ambiente sem defesas e terão a chance de transformar o problema em um "não-problema". Se tudo correr bem, talvez seu parceiro ou parceira até peça para você fazer a mesma coisa. Mas se isso não acontecer, tudo bem também. Não exija reciprocidade para o que você fizer. Se exigir, seu parceiro ou parceira provavelmente terá mais um problema para discutir com você da próxima vez que você fizer essa pergunta.

72

NÃO QUESTIONE OS MOTIVOS DO OUTRO

Para muitas pessoas, uma das melhores coisas resultantes da maturidade é a liberdade, num sentido razoável, de tomar as próprias decisões. É muito estimulante e gratificante tomar uma decisão, sentir-se bem com ela e saber que estamos sendo apoiados ou pelo menos "não questionados" quanto a essa decisão. Por exemplo, se você resolve "Eu gostaria de passar um dia sozinho nesse fim de semana", é gratificante e a alegria da decisão é reforçada se ela for respeitada pelo seu parceiro ou parceira. A mesma coisa acontece se a sua decisão tem a ver com alguma coisa que você quer fazer ou algo que já fez, um sonho ou um plano que você deseja conquistar, um caminho que deseja seguir, um lugar para onde quer ir, um passatempo que resolveu adotar, o prato que decidiu preparar para o jantar e praticamente qualquer outra coisa.

Mas é bem diferente se você tiver de explicar ou defender a sua decisão. Se o seu parceiro ou parceira diz: "Por que você tem de fazer isso?" ou "Você não devia estar aproveitando seu tempo fazendo outra coisa?", ter de se explicar é um banho de água fria nos seus planos. Transforma uma coisa gratificante em motivo de estresse. Em vez de sentir que está recebendo apoio incondicional, parece que você está sendo julgado.

Estávamos na praia quando ouvi uma mulher dizendo para o marido que ia almoçar com uma amiga de longa data. A reação dele descreve a essência dessa estratégia. Num tom bem condescendente ele disse: "Por que vai gastar seu tempo com ela?" Era óbvio que ele desaprovava e estava questionando os motivos dela. E você já deve ter adivinhado que ela começou a defender sua decisão. Em questão de segundos, a tarde tranqüila e relaxante que os dois estavam tendo na praia se transformou numa discussão estressante e com as defesas levantadas, que provavelmente arruinou o resto do dia. Francamente, foi horrível até mesmo estar perto deles. O que é mais triste nessa história é que é absolutamente desnecessária.

Você pode imaginar o grau maior de respeito e de amor que essa mulher sentiria pelo marido se ele simplesmente dissesse: "Parece divertido" ou "Que bom para você"? Ela teria se sentido ótima e provavelmente continuaria dividindo sua vida e suas decisões com o marido. Afinal, não era opção dele, era dela. E mesmo se por algum motivo estranho ele achasse que não era bom para ela, e daí? Ela já tinha resolvido. O problema era dela, não dele.

Quando você questiona os motivos de alguém, especialmente quando são obviamente inocentes, o que você está afirmando é: "Não tenho respeito suficiente por você para permitir que tome suas próprias decisões. Você deve me consultar para eu aprovar ou desaprovar."

Você só precisa ler essa estratégia para entender. Questionar os motivos do seu parceiro ou parceira regularmente é uma maneira infalível de prejudicar um relacionamento que poderia ser muito carinhoso. Na verdade, é um defeito muito sério de que ninguém gosta.

É claro que um comentário ocasional questionando não vai afetar tanto assim o seu relacionamento. Mas se você tem o hábito de ficar questionando os motivos do seu parceiro ou parceira, é bom ter o bom senso de quebrar esse hábito, de uma vez por todas. Provavelmente a melhor maneira de fazer isso é se convencer de que é um ato muito egoísta. Questionar os motivos do seu parceiro ou parceira é como enviar uma mensagem dizendo que, lá no fundo, você não confia, não respeita nem aprova as decisões que ele ou ela toma. Implica que seu parceiro ou parceira não é sábio/a o bastante para tomar decisões. Além do mais, estimula uma reação altamente defensiva e tira grande parte da alegria da troca.

É óbvio que não estamos falando de nunca questionar um motivo. Se alguma coisa realmente envolve você ou o seu relacionamento, ou se é importante mesmo, então é outro assunto. Estamos falando de coisas pequenas, corriqueiras.

Achamos que você deve levar essa estratégia a sério. Ficará espantado de ver como sua parceira ficará mais aberta e à vontade se você simplesmente parar de questionar seus motivos. Em vez de questionar os motivos dela, compartilhe do seu entusiasmo. É muito agradável partilhar alguma coisa com alguém que permite que você faça isso livremente, sem questionamentos. Se você der uma chance para essa estratégia, ficará muito contente.

73
ACEITE ELOGIOS GENTILMENTE

Numa estratégia anterior, discutimos a importância de sempre fazer elogios. Essa estratégia trata do outro lado dessa questão.

Alguns anos atrás eu estava ouvindo um programa de entrevistas no rádio quando o convidado, especialista em relacionamentos, referiu-se ao fato de que um dos erros mais tristes que as pessoas cometem nos relacionamentos é não saber receber elogios. Isso causou uma certa surpresa porque a maioria das pessoas a quem eu elogio tem facilidade e sabe recebê-los gentilmente. E na maioria das vezes eu também me sinto bem à vontade com essa parte da vida.

Mas como o convidado do programa parecia muito convincente, como se soubesse do que estava falando, resolvi verificar seus comentários por conta própria. Comecei perguntando para as pessoas, tanto aos que costumam fazer elogios quanto aos que costumam receber. Os dois grupos concordaram quase unanimemente com a conclusão do especialista de que, na realidade, a maioria das pessoas não sabe como receber elogios. Na última década ouvi muita gente recebendo elogios e, fazendo isso, eu também cheguei à mesma conclusão.

Não tenho bem certeza do que é. Algumas pessoas ficam um pouco envergonhadas, sem jeito ou constrangidas quando alguém as cumprimenta ou elogia. Podem reagir abaixando a cabeça, corando ou dizendo alguma coisa que minimize as palavras gentis. Por exemplo, quando alguém diz "Você é muito bom nisso", você pode dizer alguma coisa assim: "Nem tanto" ou "Não sou tão bom quanto você pensa". Ou então você dá uma explicação para negar o valor do elogio: "Eu tive muita sorte" ou "Só ganhei porque o outro não estava se sentindo bem".

Uma outra maneira de esvaziar um elogio é revertê-lo – como se quisesse elogiar a outra pessoa. Aí, respondendo à afirmação "Você está muito bem hoje", você pode dizer: "Não tanto quanto você."

Superficialmente, responder desse jeito aos elogios pode parecer inofensivo. Afinal, você está sendo humilde e a humildade certamente é uma qualidade maravilhosa. Mas examinando mais de perto, você vai notar que apesar de estar de fato sendo humilde e certamente não ter a intenção de causar mal algum, você não está sendo muito gentil. Na verdade, responder aos elogios desse jeito pode ser meio ofensivo e pode até magoar a pessoa que está elogiando.

É preciso ter consideração, coragem e bondade para fazer um elogio genuíno e sincero a alguém. Por isso, quando alguém rejeita seu elogio, por mais que não seja essa a intenção, dói. E apesar de não se tratar de nada tão horrível a ponto do seu parceiro ou parceira dizer alguma coisa, é um pouco anticlimático. Passa uma mensagem silenciosa imprópria. Em vez de afirmar que você aprecia seu parceiro ou parceira e que reconhece o gesto de uma forma positiva, você está dizendo: "Você está enganado" ou então "Eu não mereço esse elogio". Qualquer uma das duas é meio frustrante.

Lembre que é divertido fazer elogios. Quando você está animado ou orgulhoso com alguma coisa que seu parceiro ou parceira fez, é gratificante partilhar o seu entusiasmo. Mas quando você não é gentil, está roubando esse prazer dele ou dela. Em vez de encorajar novos elogios, você reduz essa possibilidade porque tirou a alegria da generosidade do elogio.

Esse problema é fácil de resolver. O segredo é pensar menos no que o elogio diz sobre você, e mais sobre o que significa para a pessoa que faz o elogio. Quando você fizer isso provavelmente achará muito mais fácil e mais natural receber seus elogios com gentileza.

74

ESQUEÇA SEUS TRÊS "CALOS" PREFERIDOS

Durante anos, como meio de reunir informações, nós andamos fazendo a seguinte pergunta: "O que você acha mais irritante no seu parceiro ou parceira?" Os detalhes em geral eram diferentes de pessoa para pessoa, mas dois temas mais amplos chamaram a atenção. O primeiro, mais freqüente, é que o que mais irrita as pessoas são pequenas coisas – aquelas manias e hábitos irritantes. O segundo, que atingiu uma média, é que parece que há três "calos" preferidos por pessoa. Muitas vezes as pessoas diziam: "Nosso relacionamento seria muito melhor se meu parceiro (ou minha parceira) parasse de fazer essas três coisas."

Até onde sabemos, existem apenas duas maneiras de superar essa realidade. A primeira é fantasia pura – achar que seu parceiro será capaz e estará disposto a mudar. A outra maneira é criativa e incrivelmente eficiente – resolver esquecer seus três "calos" preferidos.

Isso parece mais difícil do que realmente é. Quando examinar as suas opções você vai acabar descobrindo que esse é seu melhor e único curso de ação sensato. Você vai ver que esses "calos" o incomodam porque você permite que isso aconteça – você presta atenção demais neles. Como sempre exigiu (ou esperou) que eles desaparecessem, passou a relacionar-se com eles como se fossem inimigos seus, dedicando energia mental e dando significado demais para eles. Se você aceitar o fato de que eles não vão embora e se resolver fazer as pazes com eles, poderá ver que são inocentes e, em muitos casos, até engraçados.

Um dos meus "calos" preferidos, em que Kris mais pisava, era que ela sempre esquecia de apagar a luz do seu closet. É uma coisa sem importância e idiota que me deixava irritadíssimo! Os meus motivos para ficar irritado sempre pareciam lógicos – o pé-direito é muito alto e sou eu que tenho de trocar a lâmpada. Mas acontece que sempre que eu passava por lá a luz estava acesa. Eu reclamava, fazia Kris lembrar, dava indiretas gentis, e pensava muito sobre aquele hábito – mas nada adiantava. No dia seguinte passava por lá e a luz estava acesa de novo.

Então um dia tive uma inspiração. Se aquilo era tudo o que eu tinha para reclamar da Kris, então eu era um cara de sorte! Deus sabe que tenho muitos hábitos muito mais irritantes que esse. Resolvi fazer as pazes com o fato de que o problema era realmente meu e que não valia a pena insistir nele. Apagar a luz era uma coisa ridícula demais para eu estar desperdiçando a minha energia reclamando. Leva apenas uma fração de segundo, e eu provavelmente desligo dezenas de lâmpadas por dia de qualquer maneira. Comecei a pensar: "Por que estou fazendo essa tempestade em copo d'água?" Analisando com maior objetividade, o problema ficou completamente diferente. Afinal, alguém tem de estar muito tenso (eu) para se estressar com uma coisa tão pequena. O que descobri foi que ficar irritado com uma coisa tão inofensiva dizia muito mais sobre mim (e a minha tendência de fazer tempestade em copo d'água) do que sobre a Kris. Quando você raciocina sobre reações exageradas quando pisam em seus calos de estimação, essa suposição quase sempre é válida.

Até hoje eu continuo a apagar a luz do closet sempre que está acesa. A diferença é que penso sobre isso de outra forma. É até engraçado e eu quase sempre sorrio quando faço isso. Espero que você concorde que resolver deixar de lado seus três calos de estimação é uma boa idéia. Ficará contente quando fizer isso – e seu parceiro (ou parceira) também. Quem sabe, talvez seu parceiro (ou parceira) deixe para lá alguma coisa irritante que você faz!

75

EVITE AFIRMAÇÕES ABSOLUTAS (DE NATUREZA NEGATIVA)

Quando perguntamos às pessoas o que era mais irritante no comportamento dos parceiros, uma resposta comum era o que pode ser chamado de "afirmações absolutas". Essas afirmações radicais tendem a pôr as pessoas numa caixa com etiquetas que as definem de uma forma muito limitada. Você provavelmente vai concordar que em geral as pessoas não gostam de receber etiquetas em termos absolutos. Sempre parece injusto e preconceituoso. Na verdade, muita gente acha ofensivo. A única exceção à regra, claro, é quando a afirmação é positiva. Por exemplo, se você diz para o seu parceiro "Você é sempre tão atencioso", é uma outra história – uma versão positiva de uma afirmação absoluta.

Afirmações absolutas são as que utilizam as palavras "sempre, nunca, imprestável, nada" e outras. São exemplos de afirmações absolutas: "Você sempre diz a coisa errada", "Você sempre volta tarde para casa", "Você nunca passa um tempo com as crianças", "Você nunca ouve o que eu digo", "Você é um imprestável", "Você não faz nada para ajudar" e assim por diante. Qualquer afirmação que defina uma pessoa ou explique o que ela faz de modo limitado e absoluto pertence a essa categoria.

Há dois motivos muito importantes e lógicos para nunca mais usar esse tipo de afirmação. Primeiro, como acabamos de mencionar, as afirmações absolutas podem ser ofensivas e podem magoar a pessoa, já que quase nunca são verdadeiras. Conhecemos um homem, por exemplo, cuja mulher sempre o acusava de "nunca" ouvir o que ela dizia. Como a maioria das pessoas, ele tinha o que melhorar nessa área, mas as duras acusações da mulher eram muito exageradas. Kris c cu tínhamos visto os dois juntos em várias ocasiões e posso dizer sinceramente que ele estava na média dos bons ouvintes. Na verdade, até dava a impressão de ser melhor ouvinte do que ela. Além do mais, ele estava *sinceramente* tentando ser um melhor ouvinte e tinha até feito um curso para aprender a ouvir. Na minha opinião, as afirmações absolutas da mulher dele prejudicavam muito mais o relacionamento do que a falta de capacidade de ouvir dele.

Pense em como você se sentiria se o seu parceiro (ou parceira) dissesse para você: "Você nunca ajuda nos afazeres domésticos." O mais provável, a não ser que você seja realmente um tremendo preguiçoso, é que você fique magoado, aborrecido ou na defensiva. Talvez você não seja o melhor faxineiro do mundo, e talvez devesse ser mais consciencioso nessa área, mas se estiver fazendo qualquer esforço, as palavras da sua mulher provavelmente serão recebidas como uma facada nas costas e uma punhalada falsa.

Outro motivo pelo qual é tão importante não usar afirmações absolutas, é que elas encorajam seu parceiro (ou parceira) a fazer (ou deixar de fazer) exatamente as coisas das quais você está reclamando. Afinal de contas, você já revelou sua perspectiva negativa, já lhe deu uma reputação negativa e preguiçosa. Por isso, por que cargas d'água ele vai querer cooperar agora? E mesmo que coopere, você não vai lhe dar crédito.

Compreendendo essa lógica que leva a evitar as afirmações absolutas, fica relativamente fácil perder esse hábito. Se você está frustrado com seu parceiro (ou parceira), uma abordagem mais gentil e menos extrema quase sempre será melhor recebida – e provavelmente terá um resultado melhor. Por isso, sempre que for possível, fique longe de afirmações absolutas. Será bom para o seu relacionamento.

76
PREVEJA O PREVISÍVEL

Essa estratégia é útil e prática para todos os casais e vai ficando mais ainda, quanto mais tempo vocês estão juntos. Porque todos nós somos previsíveis, uns mais, outros menos. Felizmente, aprendendo a prever o previsível, e fazendo as pazes com isso, podemos evitar muitos problemas.

Kris foi criada em Portland, Oregon, onde chove a maior parte do tempo. A maioria das pessoas que conhece a região reconhece que seria bobagem viajar para lá (especialmente no inverno) e ficar surpresa ou desapontada com o fato de estar chovendo. Você pode preferir um lugar mais ensolarado, mas certamente não reclamaria: "Não acredito que esteja chovendo. Essa chuva estragou meu dia."

Você pode estender essa sabedoria simples para o seu relacionamento amoroso. Depois de algum tempo você passa a esperar certas reações e acertará a maioria das suas previsões de certos hábitos. Seu namorado, por exemplo, pode erguer as defesas toda vez que você faz planos para sábado à tarde, porque nesse dia ele gosta de assistir aos jogos na televisão. Sabendo disso, é desnecessário, talvez até um pouco tolo, ficar ofendida com a reação dele. Se você já sabe de antemão o que vai acontecer, pode fazer certas concessões. Pode resolver não planejar nada para sábado. Ou, se você decide ir em frente de qualquer maneira, pode fazer isso com compreensão, não levando a reação automática dele para o lado pessoal. Como o tempo no Oregon, você pode preferir que ele dê menos importância aos jogos na televisão, e certamente pode negociar com ele esse assunto, mas ficar ofendida e aborrecida parece um pouco autodestrutivo.

Conforme já disse anteriormente, eu costumava ficar frustrado quando Kris se atrasava. Mas depois de um tempo aprendi que isso fazia parte da natureza dela. Ela fica tão entretida e entusiasmada com o que está fazendo que tende a levar mais tempo para sair.

Mas quando isso se tornou previsível, e eu passei a aceitar, deixou de ser um problema. Por que criar um caso danado por uma coisa tão pequena, se é tão fácil fazer concessões pela previsibilidade? Aprendi a levar um livro, ou algum trabalho que tivesse de escrever, ou meu telefone celular, ou então era apenas mais paciente ou qualquer coisa. Se era superimportante que ela chegasse na hora, eu simplesmente mencionava isso, e ela fazia um esforço a mais para ser pontual. Seja qual for o problema, em vez de dizer "Eu não acredito que ele ou ela possa ter feito isso", você começa a pensar: "É claro que ele ou ela vai fazer isso. Sempre fez. Por que dessa vez seria diferente?" Mais uma vez insisto que não quero dizer que você não deve se importar, apenas que não deve ter um ataque por causa disso.

Todos nós temos hábitos, manias e reações que são bem previsíveis. Quando você deixa tudo isso para lá, em vez de infernizar seu parceiro ou parceira por isso, pode se surpreender com o número de vezes que o problema desaparece sozinho. As pessoas mudam e crescem, geralmente sem a nossa participação. Com o passar dos anos, por exemplo, Kris foi ficando bem mais pontual. Na verdade, hoje em dia eu até me atraso mais do que ela. Ainda bem que não lhe cobrci isso demais... talvez ela seja mais condescendente comigo também.

77
PARE DE TRATAR TUDO COMO SE FOSSE UMA EMERGÊNCIA

A essência de fazer tempestade em copo d'água é tratar a própria vida como se fosse uma emergência. É claro que há emergências na vida, e são sempre difíceis. Mas na maioria das vezes os acontecimentos, desafios, interações e responsabilidades comuns, do dia-a-dia, de todas as horas, que temos de enfrentar não pertencem a essa categoria tão séria.

Um relacionamento estimulante é como um santuário – relaxante, solidário e seguro. Infelizmente, quando adotamos o hábito de transformar pequenos aborrecimentos e desafios diários em emergências gigantescas, estamos passando o recado para o nosso parceiro (ou parceira) que somos tudo, menos uma influência tranqüilizadora. Em vez de transmitir segurança, somos vistos como uma bomba-relógio agitada e nervosa! Ficamos tensos e irrequietos e, em geral, não somos uma companhia muito divertida.

Ninguém fica calmo o tempo todo, nem perto disso. No entanto, é importante ver tudo com objetividade e entender que muitas coisas que nos aborrecem e incomodam não são realmente significativas, e sim parte da nossa vida diária.

Uma das nossas frases preferidas fala bem dessa questão. É de Alfred D. Souza. Ele disse: "Durante muito tempo parecia que minha vida estava prestes a começar – a vida de verdade. Mas havia sempre algum obstáculo no caminho, algo que tinha de superar primeiro, alguma coisa inacabada, algum tempo ainda por cumprir, uma dívida a ser paga... e depois, então, a vida começaria. Finalmente compreendi que esses obstáculos eram a minha vida."

Quando encaramos os obstáculos, até mesmo as pequenas rusgas que vivemos, como parte integrante da vida, e não como uma coisa que se interpõe no caminho da nossa vida, fica muito mais fácil enfrentar tudo. Essa consciência é especialmente útil para os nossos relacionamentos porque faz com que deixemos um espaço e a liberdade para os nossos parceiros serem humanos, cometerem erros e de vez em quando dizerem ou fazerem coisas erradas, o que, todos sabemos, acontece com todo mundo.

Um dos maiores presentes que Kris me deu foi nunca esperar que eu chegasse perto da perfeição. Ela perdoa com facilidade e quase nunca cria caso com os erros que eu cometo. Em geral, ela não trata nada como emergência, a não ser as verdadeiras emergências. Assim é fácil estar com ela e amá-la.

Já notei uma tendência quase idêntica na maioria dos casais que conheço que vivem numa atmosfera boa e tranqüila. Normalmente é o caso de um dos dois, ou os dois, não tratar coisas comuns como "notícias de primeira página". Em vez de ter um ataque ou exagerar o lado negativo, eles são capazes de suplantar não tudo, mas a maior parte desses probleminhas.

É claro que cada pessoa tem um temperamento diferente e nem todo mundo quer ou é capaz de manter a calma. Mas como regra geral, nós descobrimos que a maioria das pessoas pode ficar um pouquinho mais calma e mais relaxada, e talvez reagir um pouco menos aos aborrecimentos do dia-a-dia. E nem sempre, mas normalmente o seu parceiro (ou parceira) vai apreciar os esforços que você fizer nesse sentido.

78
USE CARTAS COMO FERRAMENTAS DE COMUNICAÇÃO

Quando você tem um confronto com alguém, ou quando precisa ter uma discussão séria, costuma ser difícil articular completamente a sua posição, e também expressar adequadamente os motivos que fazem com que essa posição seja tão importante para você, sem que seu parceiro (ou parceira) fique na defensiva. Antes de você terminar de expor seus argumentos, ele ou ela já está comentando (ou pelo menos pensando) suas preocupações, objeções e queixas. Normalmente se refere a isso como reação automática ou involuntária, e é tão comum quanto arroz com feijão. Infelizmente a maioria das pessoas não é boa ouvinte.

Portanto, em certas situações, escrever uma carta ou um cartão pode ser uma forma apropriada e poderosa de superar esse problema. Uma carta com a guarda abaixada e bem franca pode ser um meio muito eficiente de comunicar uma preocupação, preferência, desejo ou potencial solução. A eficiência da carta não tem nada a ver com o fato de você escrever bem ou não. Tem tudo a ver com a sinceridade e o amor que você empenha na descrição dos seus sentimentos.

Sendo quem escreve, você tem a chance de pensar e de descrever a sua posição lenta e cuidadosamente, sem a possibilidade de ser interrompido. Quem vai receber a carta (seu companheiro ou companheira) terá a vantagem de poder ler a carta quantas vezes for preciso para compreender bem o que você quer dizer. Ele ou ela pode refletir sobre o que está escrito e até, em alguns casos, esfriar a cabeça antes de dar uma resposta.

A primeira vez que esse procedimento funcionou para nós foi por acaso. Nossa primeira filha tinha menos de um ano de idade. Kris passava a maior parte do tempo se dedicando ao nosso bebê, e praticamente não tinha tempo para mais nada. Eu estava trabalhando, estudando e escrevendo meu primeiro livro. Estávamos sem dinheiro algum e os dois com falta de sono. Éramos felizes e muito apaixonados, mas, como a maioria dos casais com filhos pequenos, um pouco sobrecarregados.

Eu conseguia me afastar de casa de vez em quando, mas era quase sempre a trabalho. Tinha tentado comunicar meu desejo de sair sozinho, mas o momento nunca era propício. Kris, ainda mais cansada do que eu, não foi capaz de entender meu desejo de sair um pouco. E agora, olhando para trás, eu compreendo por quê!

Um dia Kris tinha saído com a nossa filha e eu resolvi escrever uma carta para ela. Em resumo, o que eu dizia era isso: “Amo você e a nossa família mais que tudo no mundo. No entanto, a necessidade de ficar um pouco sozinho está me sufocando. Acho que seria muito bom para mim, e conseqüentemente para nós, se eu pudesse me ausentar um pouco, mesmo que só por alguns dias. Você tem alguma sugestão?"

Quando voltei para casa à noite, tinha praticamente me esquecido da carta. Mas Kris não. Na verdade, ela disse que tinha lido a minha carta diversas vezes e que não fazia idéia de que eu estivesse precisando tanto ficar sozinho. Sem um pingo de egoísmo, ela me incentivou a ir de carro até a praia, meu lugar favorito no planeta, e ficar lá o tempo necessário para me reanimar. Disse que sentia muito não ter pensado nisso antes e queria saber por que eu não tinha conversado sobre isso com ela.

Lembre que, do meu ponto de vista, eu tinha tentado conversar sobre o assunto muitas vezes. No entanto, com um bebezinho chorando e responsabilidades demais sobre os ombros, nunca conseguíamos conversar sobre a importância que essa questão representava para a minha sanidade mental. O que a carta fez foi abrir e expandir o diálogo sobre um tópico que eu achava difícil conversar. Sem ela talvez eu nem conseguisse expressar essa minha necessidade com tanta clareza.

Cartas como essa não se propõem a substituir uma comunicação corajosa e franca. Em vez disso, elas servem para abrir a porta para as comunicações vitais para o relacionamento ou para complementar as interações que vocês dois já têm.

Conhecemos casais que utilizaram tipos semelhantes de cartas para abordar uma série de assuntos – uma preocupação com gastos excessivos, uma perspectiva diferente quanto à educação dos filhos ou alguma frustração quanto à distribuição injusta de tarefas.

Descobrimos que às vezes ajuda ver a posição do seu parceiro ou parceira em preto no branco. Fazendo isso podemos ver coisas sobre o nosso parceiro que nem desconfiávamos que existiam. Desde que a carta seja escrita com amor, respeito e sinceridade, é difícil imaginar que não vá ser bem recebida. E se você não tem nenhuma preocupação imediata para testar a utilidade de uma carta, parabéns. Se for esse o caso, por que não escrever uma carta dizendo simplesmente "Eu te amo"?

79

NÃO FAÇA SEU PARCEIRO PISAR EM OVOS

Se você perguntar por aí, como nós fizemos, vai descobrir que as frustrações nos relacionamentos têm muitas causas semelhantes entre os casais. Quase no topo dessa lista do "Eu gostaria que as coisas fossem diferentes", está a reclamação "Eu sinto que tenho de ficar pisando em ovos".

Que pena! Você tem um relacionamento que deveria ser mutuamente gratificante, e está sempre preocupado/a porque seu parceiro (ou parceira) costuma fazer tempestades em copos d'água, que ele ou ela está sempre prestes a ter um ataque ou a demonstrar algum tipo de decepção em relação a você. Você fica sempre aflito/a com a possibilidade de dizer ou fazer alguma coisa errada, de se enganar, de deixar cair um copo de leite ou qualquer outra coisa que faça seu parceiro (ou parceira) explodir.

Enquanto lê esses parágrafos, faça a seguinte pergunta: "Existe alguma coisa que eu faço para o meu parceiro (ou parceira) sentir que está pisando em ovos?" Se a sua resposta for afirmativa, talvez seja hora de reavaliar suas prioridades e até reduzir um pouco as suas expectativas. Se o seu marido (ou mulher) parece pedir desculpas o tempo todo ou se ele (ou ela) fica se defendendo grande parte do tempo, isso pode indicar que ele (ou ela) acha que deve ser cuidadoso/a quando está perto de você. Se você não tiver certeza de que é parte da causa desse problema, talvez seja uma boa idéia perguntar ao seu parceiro ou parceira. Isso mesmo! Por mais difícil ou humilhante que possa parecer, seria um passo enorme para aprofundar o seu relacionamento e aproximar ainda mais vocês dois. Via de regra, a maioria das pessoas se dispõe a perdoar quando sabe que você está trabalhando as suas fraquezas ou defeitos. Lembro-me de ter perguntado a Kris se ela alguma vez tinha se sentido assim comigo. Para minha surpresa, ela respondeu que às vezes sentia isso sim, especialmente quando nossa casa começava a ficar muito desarrumada. Ela sabe que detesto muita bagunça e às vezes achava que eu a culpava pela desordem da casa. Desde aquela época, eu tenho tido o cuidado de prestar atenção quando me sinto frustrado por causa da bagunça, para ter certeza de que não vou fazer a Kris sentir que a culpa é dela – que aliás, não é.

A boa notícia é que quando você descobrir que está deixando seu parceiro ou parceira ansioso/a, provavelmente achará bem mais fácil fazer alguns pequenos ajustes. A maioria das pessoas não quer se preocupar nem ficar irritada o tempo todo, e certamente não deseja que os entes queridos tenham medo das suas reações. Por isso, quando abrir os olhos para esse seu hábito, você poderá recuar ao perceber que está ficando tenso demais.

É útil para virar o jogo. Dá para imaginar como seria difícil e estressante se você ficasse inseguro toda vez que abrisse a boca, expressasse uma opinião, reclamasse de alguma coisa ou completasse uma tarefa? Ficaria preocupado de dizer algo errado, de não ter limpado a garagem direito, de não ter feito o jantar como devia ou de seu parceiro ou parceira estar marcando seus pontos num placar. Acha que isso poderia ser divertido? Quanto tempo você agüentaria? A verdade é que é muito difícil estar com alguém quando sentimos que estamos sempre decepcionando essa pessoa. Por outro lado, é tão bom e tão fácil amar alguém quando sentimos que podemos ser nós mesmos, até quando cometemos erros.

Quando uma pessoa sente que precisa ficar pisando em ovos, quase sempre se distancia de quem teme desapontar, criando uma brecha no relacionamento. A maioria das pessoas acharia muito melhor sentir-se segura em vez de estar constantemente preocupada de estar fazendo alguma coisa errada. Por isso ficamos mais superficiais e paramos de nos comunicar toda vez que pressentimos o risco de receber uma crítica desmerecida.

Esse é um dos hábitos que são difíceis de admitir mas fáceis de consertar, que ocorrem em muitos relacionamentos. O primeiro passo é entender que é do interesse de todos ninguém ter de sentir que precisa pisar em ovos. Depois disso, a solução é passar a prestar atenção nos seus sentimentos de frustração. Quando começar a ficar tenso, lembre-se de recuperar a leveza. Ponha as coisas em perspectiva. Não esqueça que a qualidade do seu relacionamento é infinitamente mais importante do que o que está incomodando. Quando fizer isso você vai descobrir que seu sentimento de frustração desaparece, e o amor que sente pelo seu companheiro ou companheira aumenta.

80

PLANEJE SER MAIS CARINHOSO

É extremamente útil ter um plano bem elaborado para garantir que você será uma pessoa mais carinhosa. Esse é um dos casos em que a pretensão do plano é vital. Não estamos falando de você criar um plano para receber mais amor ou para manipular alguém para que essa pessoa o ame, mas simplesmente de um plano para você ser a pessoa mais carinhosa possível.

Sempre aumentamos as chances de alguma coisa acontecer quando temos um plano destinado a nos levar para onde queremos ir. Por exemplo, se queremos perder peso ou adquirir uma forma física melhor, criamos uma dieta ou um plano de exercícios. Nos negócios, criamos um plano de trabalho ou uma estratégia de mercado, ou uma campanha publicitária – ou então criamos cotas de venda. Se queremos nos dar bem na escola, mapeamos um plano do curso, resolvemos quais as aulas que precisamos ter agora para poder fazer outras matérias mais adiante. Quase sempre é mais fácil chegar a algum lugar se você dominar os passos que tem de dar pelo caminho. Sempre que você quer ir de A a Z, em geral é mais fácil se tiver um plano.

Querer ser uma pessoa mais carinhosa não é uma exceção a esta regra. Em outras palavras, ter um plano – de objetivos a curto e a longo prazo – e trabalhar para atingir esse objetivo normalmente representa um lucro enorme em termos da transformação no tipo de pessoa que você deseja ser.

Conhecemos centenas de pessoas – na verdade, quase todas as pessoas que conhecemos pertencem a essa categoria – que desejam mais amor em suas vidas. A maioria consegue identificar como seria o parceiro ideal ou de que forma gostaria que o parceiro atual mudasse. No entanto, e surpreendentemente, pouquíssimas possuem um plano para ajudá-las a ser mais carinhosas e amorosas. Mas ironicamente, apesar de termos pouca ou nenhuma chance de modificar outra pessoa, exercemos uma grande influência no nosso próprio destino.

Quando conheci Steve ele era um cara simpático, mas dizia que "era bastante tenso, nervoso". Lembrou que não era muito bom ouvinte, que tinha a tendência de terminar as frases das outras pessoas e que se preocupava muito em ter sempre razão. Também disse que reagia demais e que era muito tenso, que vivia apressado. Mas uma das coisas que Steve tinha a seu favor era um objetivo sincero – e um plano para longo prazo – de se tornar um ser humano mais carinhoso. O plano dele incluía um compromisso de ser menos teimoso e egoísta e ao mesmo tempo aprender a ser uma pessoa mais calma e mais agradecida.

Ele trabalhava diariamente para aprimorar sua capacidade

de ouvir bem. Lia livros com diferentes pontos de vista e praticava sua paciência e gratidão. Fez cursos de comunicação e de relacionamento e dominou várias técnicas de redução de estresse, inclusive ioga e meditação. Essas e outras coisas ajudaram Steve a fazer as modificações que ele queria.

Nós vimos Steve mudar e, com o passar dos anos, ele se tornou uma das pessoas mais carinhosas que conhecemos. A presença dele é suave e bondosa e ele é hoje um excelente e paciente ouvinte, além de uma das pessoas mais generosas que conhecemos. Está agora casado e feliz com uma mulher que também é especial. Não há dúvida de que o "plano" dele – de saber para onde queria ir e quem queria ser – desempenhou um papel importante em seu sucesso.

Todos nós temos a capacidade de mudar e de nos transformar nas pessoas que queremos ser. Mas sem um plano, pode ser difícil ou confuso fazer com que essas mudanças durem. Um plano pode nos ajudar a fazer essas modificações e dar vida a elas, sejam quais forem, e tornar nossa jornada mais controlável. Boa sorte.

81

ACEITE PEDIDOS DE DESCULPA GENTILMENTE

Infelizmente muita gente acha difícil pedir perdão. Nós dois temos ouvido pessoas muito sensatas especulando que um dos motivos que pode criar essa dificuldade é que, quando pedimos perdão, muitas vezes esse pedido é aceito de um modo pouco gentil. Quando isso acontece, parte da motivação para continuar pedindo desculpas se vai, mesmo nos momentos apropriados. Isso é uma pena, porque a maioria dos casais felizes insiste que tanto pedir perdão quanto perdoar são partes integrantes de um relacionamento amoroso e estimulante.

Eu ouvi o que achei um excelente exemplo desse problema quando estava sentado num café. Com lágrimas nos olhos, uma mulher dizia para o marido que estava arrependida do seu trabalho consumir tanto do seu tempo. Aparentemente, ela viajava muito e passava tempo demais longe dele e dos filhos. Achei que aquilo estava prejudicando a família e o relacionamento dos dois.

É óbvio que não conheço todos os fatos, e certamente não

são da minha conta. No entanto, independentemente dos detalhes específicos do caso, uma coisa ficou perfeitamente clara. A incapacidade do marido de ser gentil e de abrir seu coração em resposta ao sincero pedido de perdão da mulher estava assegurando a piora de qualquer problema que eles já tivessem. Em vez de abraçá-la, segurar sua mão ou até de procurar tranqüilizá-la, ele olhou com um ar de desaprovação que aparentemente partiu o coração da mulher. Não posso ter certeza, mas acho que ele estava tentando fazer com que ela se sentisse mais culpada ainda.

Como todas as pessoas que pedem perdão, essa mulher estava abrindo a porta para uma comunicação amorosa, um possível compromisso, talvez até para uma solução. Mas para um pedido de desculpas ser eficiente, as duas partes devem cumprir seu papel. Nesse exemplo, o marido não se dispunha a isso. Conseqüentemente, ele perdeu uma oportunidade de reforçar o relacionamento dos dois. Aumentou a possibilidade de a mulher ter menos disposição para pedir perdão no futuro e até arriscou de ela começar a achar que o problema era ele. Quando pedidos de perdão não são aceitos, amargura e ressentimento passam a fazer parte do cenário.

É claro que a maioria das pessoas não será tão pouco gentil diante de um pedido de desculpas. No entanto, podemos afastar nosso parceiro ou parceira de outras maneiras, mais sutis. Podemos, por exemplo, resmungar baixinho, suspirar, fazer algum comentário condescendente como "Já era hora mesmo", menosprezar ou não aceitar realmente de alguma forma o pedido de perdão.

Nós descobrimos que, na maioria dos casos, um pedido de desculpas é uma excelente oportunidade para aprofundar o nosso amor e o nosso companheirismo. É o momento ideal para fazer um esforço sincero de ouvir com atenção e respeito. É a hora de sentir empatia e gratidão pelo fato de o nosso parceiro estar disposto a se desculpar, o que é uma coisa que nem todo mundo se dispõe a fazer. Além disso, quando aceitamos um pedido de desculpas, a probabilidade aumenta de o nosso parceiro fazer a mesma coisa por nós quando for a nossa vez de pedir perdão.

A próxima vez que o seu parceiro (ou qualquer outra pessoa) pedir perdão, veja se você consegue realmente aceitar. Suavize as suas arestas e abra seu coração. Você pode descobrir que, não importa o motivo do pedido de perdão, o seu relacionamento poderá entrar numa fase nova, ainda mais gratificante.

82

REFLITA UM POUCO SOBRE TUDO QUE VOCÊ NÃO FAZ

Essa é uma estratégia muito potente para recuperar sua objetividade. Só leva um minuto, mas o ideal é que seja feita regularmente. Se levada a sério, resulta em dividendos poderosos e duradouros. Especificamente ela trata de uma das "armadilhas do ressentimento" mais comuns que já observamos – a sensação de que você faz mais do que o seu parceiro (ou parceira), aquela sensação incômoda de que a sua contribuição é mais significativa ou mais desgastante e que, de alguma forma, isso não é justo.

Faz parte da natureza humana se concentrar no que você faz. É uma forma de manter o registro do que está e do que não está sendo feito. De certa maneira, é difícil não fazer isso. As suas responsabilidades estão sempre à sua frente, vinte e quatro horas por dia. Eu acho que não houve um único dia em que não ouvi alguém (se não a Kris ou eu mesmo) reclamar de que tem coisas demais para fazer.

Sandra se ressentia muito do marido, Mike. Ela tem três

filhos e não há dúvida de que suporta o peso maior da responsabilidade. Ela faz a maior parte do trabalho na cozinha, na limpeza da casa, lava as roupas, ajuda nos deveres de casa, leva e traz as crianças da escola, além das várias atividades em que as crianças estão envolvidas – esportes, música, amigos e assim por diante. Para ser franco, parece que ela tem uma queixa legítima. Certamente o marido poderia ser bem mais prestativo em casa.

Mas há um outro lado da história que ela descobriu de repente. Mike ficou doente e, por algum tempo, parecia que não ia se recuperar.

Apesar de Sandra ter passado muito tempo pensando no que ela chamava de "distribuição injusta de trabalho", jamais tinha parado para refletir em tudo que ela não faz! Intelectualmente, é claro, ela sempre soube dos fatos. Mas o que acontecia era que enquanto a sua contribuição vivia com ela, no dia-a-dia, a do Mike tinha se tornado invisível. No meio dos próprios afazeres, Sandra não tinha necessidade de ficar pensando em todas as coisas que não estava fazendo – alguém as fazia para ela.

Além de trabalhar mais de cinqüenta horas por semana fora de casa e de ganhar cem por cento da renda familiar, Mike era responsável por todo o trabalho no jardim. Também era muito habilidoso e consertava tudo na casa. Desde o nascimento do primeiro filho, Sandra não trabalhou mais fora de casa, nem um dia. E tampouco cortava a grama, aparava a cerca viva ou consertava uma torneira. Mike também era responsável pelo pagamento de todas as contas e pela contabilidade doméstica. Ele cuidava da aposentadoria dos dois, mantinha registro das finanças e preparava a declaração de renda todo ano. Essas coisas, e muitas outras, tinham se tornado invisíveis para Sandra.

E foi só quando o dinheiro parou de entrar, as contas começaram a se empilhar, o jardim ficou parecendo um matagal e a máquina de lavar louça enguiçou que ela compreendeu. Como é que podia viver sem ele? Ficou claro que havia muita coisa que ela não estava fazendo.

Por favor, desculpe o nosso exemplo estereotipado. É óbvio que isso poderia ser explicado de diversas maneiras. Muitas vezes é o marido que precisa pensar em tudo que ele não faz. E também é óbvio, nesse caso, que a mulher poderia estar ganhando a renda familiar enquanto o marido ficava em casa com os filhos ou alguma combinação das duas coisas. Mas o que é relevante aqui é que, em praticamente todos os casos, independentemente de como suas vidas e responsabilidades estão divididas, os dois precisam refletir.

Se você pensar um pouco, verá que há coisas que não precisa fazer, pelo menos com tanta freqüência. Talvez você ache que existe uma faxineira invisível que aparece para limpar a sua casa todo dia ou uma cozinheira habilidosa que surge para preparar as suas refeições. Talvez a roupa e a louça sejam lavadas num passe de mágica regularmente, assim como as contas pagas, o almoço das crianças preparado, as compras providenciadas e outras tarefas domésticas executadas. Ou talvez você não tenha notado que a garagem está sempre em ordem, o carro sempre funcionando ou que as crianças têm seus cabelos cortados regularmente, roupas e sapatos que sempre servem e, além disso tudo, que quase sempre chegam à escolinha de futebol na hora certa. Um homem me disse uma vez, muito sério: "Temos quatro meninos em casa e é incrível, mas os banheiros estão sempre limpos." Ele não se dava conta de que a mulher dele limpava os banheiros todos os dias!

A idéia não é comparar quem fica com a parte mais fácil e quem fica com a mais difícil, nem é saber quem está certo e quem está errado. Em vez disso, a idéia é passar menos tempo pensando em tudo o que você faz e refletir um pouco mais e dar valor a todas as coisas que você não precisa fazer. Se puder descobrir uma única coisa que não precisa fazer – por menor que seja –, sentirá um pouquinho de gratidão. Ficará espantado de ver como os ressentimentos vão desaparecer, como você fará menos tempestade em copo d'água e como dará mais valor à sua parceira (ou parceiro) se incorporar esse exercício à sua vida.

83
PRATIQUE REGULARMENTE A PREVENÇÃO DO ESTRESSE

Muita coisa pode ser feita, além de cuidar do seu relacionamento, para ajudá-lo a ficar mais relaxado, menos nervoso e a fazer menos tempestade em copo d'água. Muitas das coisas mais eficazes que você pode fazer para ser mais feliz e mais tranqüilo pertencem a uma categoria que gostamos de chamar de "prevenção do estresse".

A prevenção do estresse envolve qualquer atividade ou atitude destinada (ou que tende) a produzir, por si só, uma atitude mais calma e mais tolerante para a vida. O que é animador e serve de incentivo é que as pessoas que se tornam mais relaxadas e calmas – não importando o que fazem para conseguir isso – quase sempre conseguem levar essa sensação de paz para os seus relacionamentos. Elas ficam mais pacientes, mais bondosas, tolerantes e generosas. Além disso, normalmente passam a ser boas ouvintes e conseguem enfrentar melhor os altos e baixos dos relacionamentos. O comportamento delas, em geral, beneficia o relacionamento amoroso. Elas criticam menos, ficam menos na defensiva e não julgam tanto, fazem mais elogios, sentem menos ciúmes e são pessoas agradáveis de se conviver.

Certa vez fiz um projeto de pesquisa informal que visava determinar a eficiência de várias técnicas de redução do estresse. O que descobri foi impressionante, mas não surpreendente. Revelou-se que as pessoas que praticavam ioga ou meditação (uma vez por semana) tinham três vezes menos chances de descrever seus relacionamentos como "estressantes". E mesmo quando reclamavam do relacionamento, essas reclamações em geral eram menores e discutidas com senso de humor e objetividade. A estatística foi bem semelhante, embora menos dramática, para as pessoas que se exercitavam regularmente e que se cuidavam bem, que dedicavam algum tempo ao relaxamento e à leitura de livros inspiradores ou que dedicavam algum tempo regularmente à oração, a reuniões com pessoas que pensam da mesma forma que elas, à reflexão ou ao estudo da literatura espiritual. Foi óbvio para mim (e provavelmente para você também) que separar um tempo todos os dias, sempre que possível, para cuidar do seu interior e para cultivar a sensação de bem-estar, seja de que modo for, beneficia muito a sua vida pessoal e os seus relacionamentos. Lembre que não estamos falando de horas por dia. O mais correto seria pensar em mais ou menos uns trinta minutos.

Muita gente diz: "Eu não tenho tempo para ler, ou para praticar ioga, ou para meditar, ir à igreja, ficar parado, fazer uma massagem, exercícios ou qualquer coisa assim." No entanto, quando você pensa bem, se quer um relacionamento gratificante, é exatamente o contrário. Você não tem tempo para NÃO fazer uma ou mais dessas coisas porque, quando faz, a recompensa é muito substancial. E não esqueça que o reverso também é verdadeiro. As pessoas que não fazem nenhuma dessas coisas (ou outra, destinada a aliviar o estresse e a aumentar a objetividade) em geral são mais tensas, mais obstinadas, reagem mais e pode ser difícil conviver com elas.

Nós queremos incentivar você a explorar, investigar e a experimentar suas muitas opções de prevenção de estresse. Há cursos de administração do estresse em certas comunidades, pessoas que oferecem massagens e outras formas de trabalho físico oficiais, dúzias de tipos diferentes de exercícios, aulas de ioga e de meditação, além de muitos livros excelentes para ler sobre esses tópicos e outros mais. Ouvi falar de aulas de otimismo e de outros pontos de vista relativos à atitude e sei que há até cursos de felicidade, pois costumava dá-los eu mesmo.

Descobri que normalmente não tenho tempo para freqüentar aulas de ioga, mas tenho várias fitas de vídeo muito boas com as quais pratico na privacidade e no conforto da minha própria casa, na hora que preferir. Kris, além de outras coisas, gosta de correr e faz isso quase todos os dias. Uma das coisas que gostamos de fazer juntos é meditar alguns minutos todas as manhãs. Não somos fanáticos por nenhuma dessas coisas. No entanto, todas elas, junto com uma mente positiva, nos ajudam a manter os níveis de estresse sob controle e a sensação de bem-estar bem elevada. Quando você está feliz e relaxado, a vida parece ótima. E quando isso acontece, é muito difícil não ter um relacionamento excelente.

84

NÃO FALE PELO SEU CÔNJUGE (OU NAMORADO, NAMORADA, NOIVO OU QUALQUER OUTRA PESSOA)!

"Detesto quando ela fala por mim." "Não suporto quando ele põe palavras em minha boca." Nem sei quantas vezes ouvi essas afirmações e outras semelhantes. Na verdade, na semana passada mesmo, estava no estado do Wisconsin dando palestras. Na véspera do evento, fui a uma reunião social. Num determinado ponto, um homem disse para mim, bem na frente da mulher dele: "Ela não quer esses biscoitos. Não gosta deles." Menos de um minuto depois, quando ele se afastou, ela disse para mim: "Será que pode me dar um desses biscoitos? Eu gosto muito." Hesitei um milésimo de segundo e ela disse: "Ah, não dê atenção ao meu marido. Eu detesto quando ele fala por mim – faz isso o tempo todo."

Que tristeza. Era um hábito tão arraigado que ela já tinha se acostumado. Eu não podia avaliar até que ponto, mas parecia óbvio que esse hábito tinha criado uma barreira bem destrutiva entre os dois. A necessidade que ele tinha de falar por ela tinha se transformado numa parte tão "normal" do relacionamento deles que ela perdera o respeito pelo marido.

Pensando bem, é muito desrespeitoso falar por outra pessoa. Mesmo se você não tiver a intenção de fazer mal algum, certamente revela que não acha seu parceiro (ou qualquer outra pessoa) qualificado para falar por ele mesmo – que você o conhece melhor do que ele mesmo. Você sabe o que ele quer, o que está pensando e que decisões ele vai tomar. Ele não pode mudar de idéia de jeito nenhum, nem pensar outra coisa. E mesmo se pensasse, você seria capaz de antever isso! Essas suposições desrespeitosas – combinadas com o fato de que é uma das coisas que a vasta maioria das pessoas adultas detesta – fazem com que "falar por outra pessoa" seja um excelente candidato para a sua lista de "procure nunca mais fazer isso".

Esse é um daqueles hábitos que às vezes pode acontecer com você. Quando você conhece alguém muito bem, é fácil supor que realmente sabe o que essa pessoa está pensando, ou o que ela vai querer. E você pode ter razão na maioria das vezes. Mas apesar das excelentes chances de fazer uma suposição correta, não vale a pena.

Acho que Kris e eu temos sucesso em evitar essa tendência. Se às vezes escorregamos, pelo menos sabemos que isso não é bom para ninguém. Mas nós dois ainda falamos pelas nossas filhas, por isso ainda estamos aperfeiçoando isso.

Se você se surpreender falando por outra pessoa, não seja muito severo com você mesmo. Em vez de fazer disso um cavalo de batalha, lembre tranqüilamente que quase nunca é uma boa idéia. E se alguém que você ama faz isso com você... bem, procure não fazer muita tempestade em copo d'água! Por outro lado, quando for o momento certo, você pode chamar a atenção do seu parceiro (ou parceira) gentilmente dizendo que, apesar de apreciar a idéia, você pode muito bem falar por você mesmo!

85
CONSPIRE PARA INSPIRAR

Uma das decisões que nos deixou muito felizes foi a de "conspirar para inspirar", que tomamos logo no início do nosso relacionamento. Resolvemos que gostaríamos de ser fontes mútuas de inspiração um para o outro, pessoalmente, profissionalmente e em todos os aspectos.

Quando você conspira para inspirar, você faz muito mais do que agir como um torcedor dos esforços do seu parceiro. A sua motivação é ajudar o seu parceiro a ser tudo o que ele ou ela pode ser – não necessariamente o que *você* quer que ele ou ela seja, e sim uma ajuda para que ele ou ela realize seus sonhos e desejos acreditando neles, incentivando e ficando ao seu lado nos melhores e nos piores momentos. Significa que, apesar de não entender muito bem algumas decisões que o seu parceiro está tomando, você concede a elas o benefício da dúvida, sempre que possível. Você imagina o melhor. Em vez de criticar ou questionar, você procura primeiro compreender e dar apoio.

Kris sempre foi uma fonte de inspiração para mim. Sempre acreditou em mim, mesmo naqueles momentos em que eu duvidava de mim mesmo. Quando eu estava na faculdade, por exemplo, eu era um dos melhores tenistas. Mas eu sabia que estava pronto para abandonar o tênis e perseguir o que achava que eram objetivos menos individualistas. Eu queria me envolver em áreas de assistência, queria juntar-me ao programa dos Irmãos Mais Velhos da América e redirecionar toda a minha vida. Eu queria aprender mais psicologia e conhecer melhor a felicidade.

Praticamente todo mundo – meus amigos, colegas do esporte, treinador – ficou me importunando, menos a Kris. Alguns até riam de mim. Muitos achavam que eu era candidato ao profissionalismo no tênis e ninguém, fora a Kris e a minha família, conseguia entender por que eu estava desistindo de um esporte ao qual me dedicara tanto, que poderia significar, para o bom jogador, muito dinheiro e fama.

Mas desde o momento que nos conhecemos, nós conspirávamos para inspirar. Ela sabia que meu coração não estava mais no tênis, que estava em outro lugar. Ela me incentivou de todas as maneiras possíveis a confiar nos meus instintos, a seguir o meu dom e a "ir à luta". Na verdade, ela veio diretamente e disse: "Richard, acho que você desistiria."

Outras moças que eu conhecia logo perderam o interesse por mim – eu não era mais um atleta no campus. Ficou óbvio naquele instante que Kris me amava pelo que eu era e pelo que eu queria ser, e não pelo que ela quisesse que eu fosse ou pelo que quisesse que eu me tornasse. Logo depois dessa experiência, nós nos apaixonamos – para sempre.

Ela repetiu esse processo no início da minha carreira. Eu tinha uma pequena empresa, mas o que queria realmente era escrever em tempo integral. Apesar de ter de desistir de qualquer segurança financeira que pudéssemos ter, ela me incentivou a perseguir o meu sonho e até insistiu para que eu fizesse isso. Ela disse: "Inspirar você é a minha função. Você sabe o que quer fazer – vá à luta."

O que eu aprendi foi que os casais que se unem com amor e respeito conspiram para inspirar um ao outro do seu próprio modo, que é único. Indivíduos que falam livremente dos parceiros com carinho muitas vezes utilizam as palavras: "Minha parceira é uma fonte de inspiração."

Nunca é tarde demais para começar. Você só precisa tomar a decisão de se transformar numa fonte maior de inspiração. Se não sabe ao certo como fazer isso, pergunte ao seu parceiro (ou parceira)! Pergunte o seguinte: "O que eu posso fazer – ou como devo agir – para dar mais apoio?" Essa pode acabar sendo uma das perguntas mais importantes que você já fez. Experimente essa estratégia. Ela vai inspirar vocês dois.

86

JOGUE FORA O CIÚME (KRIS)

O amor não é ciumento. Ponto final. Na verdade, poucas coisas são capazes de sufocar um sentimento bom entre duas pessoas mais depressa ou com maior certeza do que o ciúme. Mas é uma das emoções humanas mais fácil de compreender. O ciúme nasce da insegurança e a insegurança nasce de sentimentos e idéias de inadequação. Uma das poucas maneiras de uma pessoa ter sentimentos de inadequação é primeiro se comparar com os outros.

Aparentemente, há dois ingredientes essenciais que podem ajudar você a tirar o ciúme da sua vida. O primeiro e principal é a importância de aceitar o fato de que sempre haverá alguém por aí que tem alguma coisa que você não tem – mais dinheiro, beleza, carisma, uma lista mais extensa de realizações, qualquer coisa. E daí? Bom para eles. Pare de se comparar com os outros e vai se sentir muito melhor. Lembre que você também recebeu talentos e atributos únicos, que os outros não têm. Use sua energia mental se concentrando nesses dons, e agradeça essa sua capacidade de contribuir.

O segundo diz respeito aos seus relacionamentos, e é tentar compreender que uma pessoa não vai satisfazer todas as suas necessidades, e que você também não vai satisfazer todas as necessidades do outro. E não faz mal. Para muitas pessoas isso é difícil de aceitar, já que gera sentimentos de inadequação. É uma fantasia agradável se imaginar numa ilha deserta com a pessoa perfeita dos seus sonhos, mas nós não vivemos assim nem fomos feitos para isso.

Estamos aqui para partilhar nossa energia vital com os outros, para crescer, receber estímulos, estimular e crescer. Às vezes isso significa ter relacionamentos e amizades com pessoas do sexo oposto, apesar de termos um compromisso com o nosso parceiro. É claro que estou me referindo às amizades *platônicas*. Deixar seu parceiro escolher suas amizades baseado em suas preferências e não em gênero é um dos maiores presentes que você pode oferecer. Fazendo isso você está, na verdade, reconhecendo que seu parceiro não é propriedade sua, que simplesmente você teve a sorte de ser escolhida para ser a pessoa mais especial da vida dele. Agindo dessa maneira, você demonstra uma confiança tão grande que ela atinge o coração do seu compromisso como casal.

Recentemente fiz planos de tomar um café com um velho amigo, que por acaso foi meu namorado muito tempo atrás. Não nos víamos havia dez anos e, por algum motivo, achei que era importante estar com ele. Fiquei muito à vontade partilhando isso com o Richard, sabendo que, sem dúvida nenhuma, ele confia completamente em mim e não se sentiria inseguro de modo algum. A prioridade de Richard em nosso relacionamento sempre foi a minha felicidade. Ele não se preocupa com a forma que essa felicidade pode assumir. Confirmou sua confiança não me questionando nem se sentindo inseguro. Ao contrário, ele me incentivou a sair e me divertir, como sabia que ele faria. Sempre fico maravilhada com a estabilidade dele e tento espelhar esse mesmo sentimento de confiança.

Nós dois temos muitos amigos. Alguns estão juntos, formam casais, e outros são solteiros. Todos esses relacionamentos ajudam a complementar nossas vidas e nos realizam de diversas maneiras. Eu seria louca de pensar que poderia ser todas essas coisas para o Richard. Negar essas amizades que ele escolheu, homens ou mulheres, seria egoísmo, insegurança e crueldade.

A maioria de nós já viu relacionamentos sufocados pelo ciúme. Quando você se sentir inseguro ou inadequado, procure refletir sobre seus pensamentos. Veja se está se comparando às outras pessoas. Está inventando histórias que só existem na sua imaginação? Pense que é normal você não poder satisfazer todas as necessidades do seu parceiro, e lembre como e por que o seu parceiro escolheu você como aquela pessoa especial com quem ele quer partilhar sua vida. Se você puder se livrar do ciúme, sentirá que se libertou da insegurança e isso alimentará seu relacionamento para sempre.

87

PERMITA QUE SEU PARCEIRO TENHA ALGUMAS EXCENTRICIDADES

De certa forma inocente e divertida, as nossas excentricidades ajudam a nos definir. Elas delineiam as nossas preferências e nos definem como seres únicos e diferentes dos outros.

Por exemplo, eu diria que algumas excentricidades minhas são (1) uma certa aversão à bagunça e (2) uma incapacidade estranha e quase completa de me atrasar. Adoro espaços abertos, sem pilhas de papéis e outras coisas. Não sei por quê, coisas amontoadas me incomodam. Por outro lado, espaços abertos me trazem paz.

Também gosto muito de fazer as coisas com calma para não ficar sempre apressado. Associo estar sempre correndo com estresse e frustração, e associo calma à paz e serenidade. Essas preferências simples me dão uma alegria imensa.

Uma das características de Kris mais fáceis de lidar e, eu acho, mais charmosas é sua boa vontade de permitir que eu tenha essas e outras excentricidades sem zombar de mim ou ficar reclamando. Em vez de me aborrecer, questionar meus motivos, criticar-me ou julgar-me, ela simplesmente deixa que eu seja eu mesmo. Ou seja, ela não faz tempestade em copo d'água por isso. Para ela, está tudo bem que essas coisas sejam importantes para mim. Ela sabe muito bem que às vezes exagero com essas preferências e tenho certeza de que, às vezes, elas são bem irritantes. É óbvio que com duas filhas e tanta coisa acontecendo em nossa família nem sempre é possível deixar de amontoar as coisas e haver uma certa bagunça, e tampouco é possível ser sempre pontual.

Mas o fato é que ela abre concessões para as minhas preferências mesmo não dando muita importância a essas áreas específicas. Não quero dizer que ela sempre faz as minhas vontades, mas, de uma forma bastante respeitosa, procura me agradar e aceita as minhas excentricidades, sempre que pode. Em vez de desejar que eu fizesse as coisas de outro modo, ela me considera uma "figura". Por exemplo, algumas partes da casa nunca ficam desarrumadas. Se as coisas começam a se amontoar nesses lugares, ela as empilha em outro. Quando faço questão de chegar a algum lugar na hora marcada, ela colabora, não por se tratar de uma emergência, mas porque me ama, e sabe que fico feliz de ser pontual. Por exemplo, diversas vezes, quando estávamos atrasados para algum compromisso, ela sugeriu num tom carinhoso: "Por que você não vai com o seu carro e eu encontro você daqui a pouco?" Posso pensar em muitos exemplos de situações em que teria sido fácil para ela me passar um sermão ou criticar-me de alguma forma, mas ela não fez isso. Compare aquela sugestão com esses gritos em tom de irritação: "Não se preocupe, estarei pronta num minuto. Pare de ser tão obsessivo!"

As pessoas têm todos os tipos de excentricidades. Algumas são meio obcecadas por limpeza. Outras gostam de comer um certo prato num dia determinado. Algumas insistem em pôr as coisas em certos lugares, ou gostam de passar um tempo sozinhas, são muito organizadas, gostam de lavar os pratos assim que a refeição termina, de ir para cama numa determinada hora, de ler numa determinada hora do dia, de passar as noites de terça-feira com as meninas (ou com os caras) ou qualquer outra coisa. Devem existir milhões de exemplos.

Um dos prazeres mais simples da vida é sentir a liberdade de ser você mesmo e de fazer algumas coisas exatamente do jeito que você gosta, sem ter de dar satisfação ou ficar se explicando para ninguém – desde que não prejudiquem as outras pessoas. Quando você sente a necessidade de corrigir o seu parceiro, de fazer com que ele ou ela se sinta mal ou provar que ele ou ela estava "enganado", criticar suas excentricidades, você está negando a ele ou a ela uma fonte de alegria.

Não estamos sugerindo que você se acomode, incentive ou aceite um comportamento realmente neurótico ou qualquer coisa destrutiva ou perturbadora. Ao contrário, estamos nos referindo a pequenas preferências inocentes, rotineiras, que, por qualquer motivo, dão alegria a você ou ao seu parceiro.

Estamos sugerindo que quando você permite que o seu parceiro (ou parceira) tenha algumas excentricidades, mesmo se elas entrarem em conflito com o seu modo de fazer as coisas, você está alimentando uma necessidade importante do coração humano – a necessidade de ser você mesmo.

88

PARE DE SER TÃO EXIGENTE

Pare um momento e pense como se sente quando alguém é exigente com você. E quando as pessoas são impacientes e mandonas? Como se sente quando alguém fica atrás de você para garantir que você faça sua parte e atenda às suas expectativas? A resposta para essas perguntas pode ser resumida em uma única palavra: horror!

Em geral as pessoas resistem e muitas vezes se ressentem com aquelas que são exigentes demais, especialmente quando têm o que supostamente deve ser um relacionamento amoroso. Invariavelmente, a parceira que é vítima das exigências fará a seguinte pergunta: "Que direito ele tem de me tratar desse jeito?" Para nós, essa é uma excelente pergunta.

A maioria das pessoas acha que ser exigente é uma característica humana desagradável. Pessoas que são exigentes demais são consideradas difíceis, egoístas, farisaicas e que vivem julgando os outros. Podem ser descritas como pessoas que fazem tempestade em copo d'água toda vez que os outros não fazem o que elas querem. Pessoas exigentes são complicadas, é difícil conviver com elas e, infelizmente, é difícil amá-las. Quando você convive com uma pessoa exigente, sente uma certa pressão e fica sempre imaginando se está se comportando à altura. Pessoas que vivem com parceiros exigentes muitas vezes descrevem a experiência como "ter de pisar em ovos o tempo todo" ou de estar constantemente com a guarda levantada.

Alguém que conhecemos era casada com a pessoa mais exigente que já vimos. As exigências dele iam desde a insistência para que ela não desperdiçasse seu tempo com as amigas, até o tempo que ela gastava no trabalho. Ele exigia que ela prestasse contas de cada centavo que gastava, e que fosse capaz de justificar a conta inteira de telefone. Ele monitorava a dieta dela e insistia para que lesse certos livros. Era tão irritante que ela o abandonou.

Felizmente a maioria das pessoas não é tão exigente assim. No entanto, é fácil ser exigente de forma mais sutil. Por exemplo, nós podemos exigir que o nosso parceiro (ou parceira) conte onde esteve cada segundo do dia. Ou podemos exigir que a casa fique de uma certa forma, e quando não está desse jeito ficamos emburrados ou reclamamos. Podemos exigir que o nosso parceiro tenha as mesmas crenças ou preferências que nós temos. Ou então exigimos que ele (ou ela) participe dos nossos hobbies, reuniões ou atividades, apesar de ele (ou ela) não se interessar por isso. A personalidade exigente se apresenta de diversas formas.

Muitas vezes associamos uma personalidade exigente com uma pessoa insistente e mandona. Mas as pessoas exigentes não são sempre assim. Às vezes são caladas e mal-humoradas. Outras vezes são "passivas agressivas", aquelas que procuram evitar parecer exigentes mas que demonstram sua agressividade sutilmente quando suas exigências não são atendidas.

Lembre que estar com uma pessoa exigente é muito estressante e nada divertido. Pode ser uma boa idéia analisar coisas que você faz que podem ser exigências nesse sentido. Se e quando você identificar essas exigências, faça um esforço para parar. É provável que você seja recompensado com uma parceira muito menos estressada, com quem é mais fácil e mais divertido conviver.

89

EM CASO DE DÚVIDA, FAÇA UMA PAUSA

Essa estratégia pode muito bem ser chamada de "interruptor de irritação". Há anos vem ajudando nós dois, individualmente e como casal, a manter nossa irritação, aborrecimentos e frustrações um com o outro no mínimo absoluto. Trata do problema inevitável de reagir de forma exagerada a algumas pequenas coisas que seu parceiro diz ou faz. Evita que você transforme os "copos d'água" do dia-a-dia em tempestades.

Freqüentemente, num retrospecto, é fácil olhar para trás e compreender que alguma coisa que nos aborreceu num dado momento não era grande coisa afinal. Só parecia ser. Um dos motivos que fazem tantas coisas parecerem tão urgentes é que, em vez de fazer uma pausa para refletir, reagimos instantaneamente ao nosso impulso inicial. Nossa mente se agarra a uma idéia e nos entregamos a essa idéia.

Robert serve como um exemplo excelente. Em geral ele é uma pessoa muito simpática, generosa e conscienciosa. Mas uma coisa que a namorada dele, Stephanie, estava achando um problema era a tendência que ele tinha de reagir de forma exagerada e imaginar o pior. Quando tinha de enfrentar um conflito ou problema em potencial, em questão de segundos ele criava um caso danado e transformava aquilo num cavalo de batalha.

Por exemplo, numa ocasião Stephanie disse para Robert: "Meus pais vêm para a cidade e eu disse para eles que poderíamos passar algum tempo juntos." Na mesma hora Robert entrou em pânico e começou a dizer que estava muito ocupado e que tinha dito para ela que não teria tempo algum nas semanas seguintes. A mente dele criou uma emergência. Ele imaginou os quatro passando dias e mais dias juntos, em conversas triviais, enquanto suas prioridades eram postas para escanteio. Robert acusou Stephanie de não respeitar seu tempo e suas vontades.

Robert não tinha dado a Stephanie tempo suficiente para explicar que os pais dela só estariam com eles uma noite, já que tinham de ficar três horas esperando uma conexão no aeroporto. Os pais dela viviam no outro lado do país e ela achou que seria uma ótima (e rara) chance para os quatro passarem algumas horas juntos. Era só isso, nenhuma outra expectativa. Realmente não era nada de mais.

Como muitas vezes acontece, Robert ficou constrangido com sua reação exagerada e depois teve de ficar pedindo desculpas pelo seu comportamento. Ele compreendeu que a namorada não estava envolvida em nenhuma conspiração para atrapalhar seus horários – ela simplesmente queria dividi-lo com seus pais. Às vezes é espantoso pensar quanto tempo e energia você poderia poupar, e como seus relacionamentos seriam muito melhores, se você pudesse eliminar, ou até reduzir, esse e milhares de outros tipos semelhantes de reação. Na maioria dos casos, tudo o que você precisa é fazer uma pausa para refletir. O resto acontece normalmente.

Nem sempre é o caso, mas em geral, se você fizer uma pequena pausa antes de reagir, poderá se situar melhor e ser mais objetivo. E mesmo se alguma coisa continuar parecendo importante, provavelmente não parecerá mais tão urgente. Há alguma coisa na própria pausa que cria uma sensação de paz e permite que a sua sensatez aflore. Não há dúvida de que fazer uma pausa vai ajudá-lo a evitar fazer tempestades em copos d'água. E fazendo isso, seu relacionamento só pode melhorar.

90
PRATIQUE O AMOR INCONDICIONAL

Muitas filosofias espirituais defendem a prática do amor incondicional. E por que não? O amor incondicional é, talvez, a maior expressão de amor. Ela diz: "Eu te amo porque você é você. Não precisa ser diferente do que é para receber e garantir meu amor." Não há condições atreladas ao amor. Você não precisa perder peso, ganhar uma certa quantia de dinheiro, concordar com tudo o que eu digo, comportar-se de acordo com os meus planos, compartilhar todos os meus objetivos na vida ou sorrir para mim quando não está com vontade. E tudo bem também se você estiver se sentindo insegura ou deprimida, ou se cometer erros – eu te amo de qualquer maneira. Você não precisa ser perfeita, nem chegar perto disso.

Fora os nossos filhos (e só quando são muito pequenos), é provável que quase ninguém (se é que existe alguém) seja capaz de amar alguém de modo realmente incondicional. Conscientemente ou não, costumamos impor certas condições ao nosso amor e temos algumas expectativas (por exemplo, você deve se comportar de uma certa maneira para ter o meu amor – deve me colocar em primeiro lugar, deve ser fiel, não pode ter amigos, nem expressar carinho com pessoas do sexo oposto, deve pensar como eu, meus objetivos devem ser suas prioridades e assim por diante).

No entanto, como acontece com outras coisas nas quais a perfeição é praticamente impossível – saúde, forma física, segurança financeira, organização, para citar apenas algumas –, continua sendo uma excelente idéia caminhar nessa direção, ter ideais realmente elevados, compreendendo que existem certas limitações quanto ao ponto que você vai atingir. Por exemplo, apesar de você jamais ser perfeitamente saudável (seja lá o que isso significa), mesmo assim é importante alimentar-se bem, fazer exercícios e opções em seu estilo de vida se quiser ser o mais saudável possível. Da mesma maneira, apesar de você jamais conseguir ser totalmente organizado em tudo, terá muito mais sucesso se implementar algumas estratégias comprovadas tais como utilizar arquivos, simplificar e livrar-se regularmente de coisas que não usa mais. Quanto mais você estiver concentrado em ser organizado, mais organizado você será. Uma vez inventei um objetivo que era correr uma maratona de três horas. Apesar de, infelizmente, ficar nove segundos abaixo desse meu objetivo, certamente cheguei muito mais perto de conquistar esse objetivo do que se esse objetivo fosse correr uma maratona de quatro horas.

É isso que acontece com o amor incondicional. Apesar do

fato de estarmos, talvez, condenados a jamais atingir a perfeição, certamente podemos chegar muito mais perto da conquista do nosso objetivo do amor incondicional se estabelecermos objetivos elevados. Por exemplo, podemos nos "policiar" quando começamos a julgar as pessoas ou quando nos comportamos mal. Podemos lutar para ser menos ciumentos e exigentes, e para substituir essas tendências por gratidão e tolerância. Ou então, podemos nos tornar melhores ouvintes e perdoar mais. Podemos assumir o compromisso de ser o primeiro a fazer um carinho – mesmo quando nosso parceiro (ou parceira) não puder ou não quiser fazer o mesmo. Também podemos começar a fazer concessões ao fato de o nosso parceiro (ou parceira) às vezes mudar de humor e dizer ou fazer coisas de que não gostamos – e podemos resolver amá-lo nesses momentos da mesma forma que o amamos quando ele (ou ela) é carinhoso e bondoso conosco.

Há literalmente centenas de outras coisas que podemos fazer para sermos mais amorosos incondicionalmente. Tudo, desde fazer um curso de eficiência na comunicação ou de capacidade de ouvir, de perguntar ao parceiro (ou parceira) que mudanças ele (ou ela) gostaria de ver em você, se tivesse uma varinha de condão, até ler artigos espirituais e inspiradores destinados a ajudá-los a amar incondicionalmente. Na verdade, você pode transformar isso num jogo – um desafio pessoal para ver se você se sai bem.

Não existem regras a serem seguidas, mas há um resultado

consistente com o qual você pode contar, que é o seguinte: pode ter certeza de que todos e quaisquer esforços que você fizer para ser um companheiro (ou companheira) capaz de amar incondicionalmente vão afetar a qualidade do seu relacionamento. Essa é uma daquelas estratégias em que você não tem absolutamente nada a perder – só tem a ganhar.

91
VÁ EM FRENTE E FAÇA

Com as centenas de responsabilidades diárias que todos esperam ou exigem que cumpramos, é inevitável que pelo menos algumas coisas escapem – você deixará alguma roupa para lavar depois ou os pratos sujos na pia. Talvez esqueça de pagar uma conta, ou de pegar o filme de vídeo que tinha prometido ou não teve tempo de arrumar a cama. Qualquer coisa assim.

Uma das maneiras de criar problemas e sentimentos negativos nos nossos relacionamentos é exigir silenciosamente (ou verbalmente, o que é pior ainda) que nosso parceiro jamais cometa erros. Costumamos dizer: "Você esqueceu de lavar os pratos" ou "Você pôs as toalhas no banheiro errado", como se sua parceira fosse um robô que precisa ser reprogramado. É claro que, na realidade, a pessoa que você ama não é um robô, mas simplesmente uma pessoa, igual a você, que inocentemente esquece, ou estava cansada demais ou preocupada demais para cuidar dessas coisas. E daí?

Normalmente, o jeito mais eficiente, menos atritante e que

muitas vezes até gasta menos energia, de reagir aos esquecimentos da sua parceira é simplesmente ir lá e fazer você mesmo – não com qualquer ressentimento, nem de má vontade ou criando um caso por causa disso – calmamente, com altruísmo e carinho. Ou seja, se os pratos na pia estão incomodando você, vá em frente e lave-os. Se o seu parceiro, por algum motivo, deixou de pagar uma conta que precisa ser paga, vá em frente e pague, em vez de ficar lembrando como ele é esquecido. Essas e muitas outras coisas são símbolos dos "copos d'água". O que é bom é que sem essas distrações negativas, resta mais energia para você se concentrar nos aspectos realmente importantes do seu relacionamento – uma boa comunicação, partilhar as coisas, rir, amar, crescimento espiritual e todo o resto.

Inevitavelmente, quando discutimos esse assunto em público, alguém se levanta e diz: "Ei, espere um pouco. Se eu fosse assim leniente, meu parceiro (ou parceira) nunca mais lavaria um prato ou pagaria uma conta. Eu acabaria tendo de fazer tudo." E para uma minúscula percentagem da população isso pode ser verdade. Mas, francamente, não é muito provável. Ao contrário, se você conseguir evitar fazer sermões para o seu parceiro, dar respostas atravessadas, gritar, reagir mal e qualquer outra tendência de partir para a briga, pode se surpreender ao ver como ele ficará mais prestativo. O segredo é o momento certo. É melhor discutir qualquer questão e preocupação que você possa ter sobre justiça, esquecimento ou tarefas quando vocês dois estiverem carinhosos um com o outro, com as defesas abaixadas, e não soltando fumaça pelas ventas por causa das meias no chão.

Não estamos pedindo para você se acomodar e deixar que se aproveitem de você. É mais uma questão de reconhecer que, para a maioria de nós, a vida é complicada, caótica e exigente. Pouquíssimas pessoas acham que têm tempo suficiente, e quase todas acham que têm coisas demais para fazer. Portanto, muitas vezes seu único santuário ou ambiente emocional, onde você pode baixar a guarda, é quando está com seu parceiro. Por isso, quando isso é tirado de você ou não funciona mais, quando você sente que até seu parceiro está tomando nota do que você está fazendo e não faz concessões ao fato de você ser humano, isso leva à desilusão e à frustração.

Então, apesar de você provavelmente *não* querer assumir mais tarefas do que as que já tem, quando alguma coisa precisa ser feita (mesmo se não for tecnicamente sua responsabilidade), em geral a melhor solução é ir em frente e fazê-la. Na maioria dos casos, quando você toma essa decisão, conquista uma harmonia maior em seu relacionamento. Essa certamente tem sido a nossa experiência.

92

DIGA AS PALAVRAS "SINTO MUITO"

Fiz a uma conhecida minha uma pergunta bem direta: "Com que freqüência seu marido diz as palavras 'sinto muito'?" A resposta dela explica a necessidade de incluir essa estratégia neste livro: "Você deve estar brincando, não é?"

Acontece que ele nunca pede desculpas. Ela afirmou que isso é verdadeiro mesmo quando é óbvio que ele cometeu um erro, magoou a esposa ou disse alguma coisa cruel, insensível ou foi condescendente. Isso me surpreendeu um pouco, porque superficialmente o marido dela parece ser um homem muito bom.

Fiquei imaginando se a história dos dois era única, por isso comecei a perguntar por aí. No cômputo geral, eu devo ter conversado com centenas de pessoas de todo o país. E qual não foi a minha surpresa, quando nem todas, mas a maioria das pessoas com quem falei também revelou que as palavras "eu sinto muito" representavam uma parte mínima, senão inexistente, do relacionamento delas. Mais ainda, fiquei sabendo que mesmo aqueles que dizem as palavras "sinto muito" costumam fazer isso a contragosto ou resmungando, sem sinceridade.

Não sei bem por que isso acontece. Poderia ser orgulho exagerado, frieza, falta de reflexão, incapacidade de se considerar parte ou todo o problema, ou alguma combinação dessas coisas. Mas seja qual for o motivo, o que eu sei é que é um erro. Dizer que você sente muito, quando isso se aplica, é uma experiência curativa e muito estimulante. É visto por quem recebe o pedido de desculpas não como um sinal de fraqueza, mas de força. Limpa o ar e abre a porta para o perdão e para um novo começo. Traz confiança, integridade e humildade para o relacionamento, três das mais belas qualidades que duas pessoas podem partilhar.

Felizmente não tivemos de pedir desculpas um para o outro por coisas muito sérias. No entanto, houve momentos em que a Kris mereceu um pedido sincero de desculpas e explicações sobre algo que eu tinha feito. Mas mesmo quando as circunstâncias poderiam ter criado uma reação de insegurança, o pedido de desculpas provou ser um catalisador de um enorme crescimento no nosso relacionamento, fazendo com que nós conversássemos até sobre coisas dolorosas.

E não somos os únicos. É muito esclarecedor conversar com casais que contam que o parceiro de fato utiliza as palavras "sinto muito" com liberdade, quando é preciso. Eles contam que, em muitos casos, o "erro" que antecedia a necessidade de um pedido de desculpas valia a pena, senão pelo pedido de desculpas em si, mas porque quase sempre servia para uni-los ainda mais. Por exemplo, Deborah andava gastando demais no cartão de crédito havia anos, o que criava uma série de problemas financeiros. O marido dela, Dan, estava muito ressentido, mas não dizia nada. Toda vez que tentavam conversar sobre o assunto, Deborah ficava na defensiva ou, na melhor das hipóteses, afirmava que ia "tratar disso".

Eu perguntei se ela tinha consciência do sofrimento e do medo que estava causando para o Dan. Ela disse que tinha, mas que não sabia o que fazer. Quando sugeri que sentasse com ele e fizesse um pedido sincero de desculpas, ela ficou visivelmente constrangida. Depois de alguns segundos, ela disse, com lágrimas nos olhos, que tinha vergonha e medo de fazer isso, mas que ia tentar.

Quando vi Dan outra vez, ele estava mais feliz do que nunca. Acontece que ele se ressentia mais do fato de Deborah não se desculpar do que de gastar demais. Ele disse que a boa vontade dela de dizer que sentia muito abriu a porta para uma comunicação mais profunda e menos defensiva, incluindo a decisão conjunta de consultar um terapeuta.

Seja por coisas sérias ou pelas pequenas coisas do dia-a-dia, dizer as palavras "sinto muito" normalmente funciona a seu favor. É uma daquelas frases importantíssimas que você deve incluir no seu relacionamento.

93
FIQUE LONGE DAS COMPARAÇÕES

Logo depois que a nossa primeira filha nasceu, estávamos na casa de uma amiga, jantando com um pequeno grupo de pessoas. Em um certo momento aquela noite, nossa amiga Cassie disse para algumas pessoas: "Eu gostaria de que o David (marido dela) passasse mais tempo com os nossos filhos, como o Richard faz." O marido dela ouviu esse comentário e ficou furioso. Interpretou as palavras de Cassie como se ela quisesse dizer que achava que eu amava e dava prioridade à minha filha mais do que ele amava os filhos dele, o que não era apenas ridículo, como evidentemente deixaria qualquer pai furioso também. Infelizmente esse foi o início do fim daquela amizade.

Como quase sempre é o caso, a comparação era ridícula e injusta, como maçãs e laranjas. Eu era autônomo e podia controlar meus horários. Eu também trabalhava a menos de quinze minutos de casa. David, por outro lado, trabalhava para uma empresa gigantesca e não podia fugir aos horários, se quisesse manter o emprego. Para piorar ainda mais as coisas, levava bem mais de uma hora de casa até o trabalho, e de volta para casa também.

Tenho certeza de que, na verdade, a nossa amiga não queria prejudicar ninguém com seu comentário. Estava simplesmente expressando sua frustração pelo fato de David não poder passar mais tempo com os filhos. Ela também achava bom que, além de eu ter tempo, eu quisesse passar muito tempo com a nossa filha.

Mas infelizmente toda essa explicação inocente, correta e legítima não tinha sentido, como costuma acontecer. Quando você compara alguém que a ama com outra pessoa, está abrindo a porta para um problema em potencial. Se pensar bem, faz sentido. A maioria das pessoas quer ser amada do jeito que é. É meio ofensivo pensar que a nossa companheira deseja que sejamos mais parecidos com outro. Mas em geral essa comparação do seu parceiro com outra pessoa não vai destruir o seu relacionamento. No entanto, é uma daquelas coisas que não traz benefício algum.

Você precisa prestar atenção no outro lado da moeda também. Se você for o alvo da comparação, procure não fazer tempestade em copo d'água. Procure entender a inocência da sua parceira e deixe para lá. Compreenda que, na maioria dos casos, quando sua parceira o compara com outra pessoa, ela está simplesmente expressando uma insatisfação temporária dela mesma. No caso da Cassie, ela queria que o marido tivesse mais tempo livre para estar com as crianças. Ela sabia que não era culpa dele. Se David tivesse visto a inocência do comentário dela, provavelmente teria uma reação muito mais suave e mais reflexiva. Na verdade, encarado sob uma certa perspectiva, isso poderia levar os dois a uma comunicação muito profunda e importante sobre suas prioridades na família.

Nós acreditamos que essa estratégia é boa para ser guardada no seu baú de idéias boas permanentes. Ainda não conhecemos alguém que goste de ser comparado (de forma pejorativa) com outra pessoa. E tampouco esperamos conhecer. Comparações realmente são coisas que todos nós devíamos evitar.

94
APRENDA COM UM ADOLESCENTE

Que horror! Absurdo! Jamais! É a primeira coisa que vem à cabeça diante da simples menção de aprender alguma coisa com um adolescente (ou até com alguém mais jovem ainda). Como é que um adolescente pode nos ensinar alguma coisa a respeito do amor?

É um exercício interessante lembrar-se da primeira vez que você se apaixonou. Seus pais e os outros adultos provavelmente chamaram de "paixão de adolescente". Seus sentimentos devem ter sido subestimados e até desprezados. Mas pense um pouco naqueles sentimentos e, quando fizer isso, seja o mais honesto possível com você mesmo.

Não é verdade que na primeira vez que você se apaixonou você podia passar praticamente o dia inteiro com aquela pessoa especial, e jamais ficar entediado ou preocupado? Então, assim que chegava em casa mal podia esperar para falar com ele ou ela ao telefone. Quando não podiam estar juntos, ficavam o tempo todo pensando um no outro. Vocês podiam, como sugere a expressão, "se perder nos olhos um do outro". As horas que passavam separados pareciam uma eternidade. Cada pensamento seu era sobre aquela pessoa.

Para seus pais, é claro, não era o "verdadeiro amor". De jeito nenhum. O deles é que era. Claro que eles implicavam um com o outro a maior parte do tempo. Provavelmente nunca demonstravam o afeto que sentiam e, na verdade, muitas vezes nem pareciam gostar um do outro. Discutiam freqüentemente e parece que evitavam ficar juntos. Longe de se perderem nos olhos um do outro, raramente se olhavam nos olhos. Mas apesar disso tudo, o relacionamento deles era definido como um "relacionamento de amor", enquanto o seu era uma paixão passageira.

É óbvio que costumam haver diferenças legítimas entre o típico "primeiro amor" e o relacionamento maduro, responsável – hormônios, idade, tempo juntos, familiaridade, nível de responsabilidade, para citar apenas algumas. E não estamos subestimando os efeitos desses fatores. No entanto, existem pelo menos alguns estimulantes-chave de um relacionamento que podem servir também para os adultos. Especificamente dois deles se sobressaem.

Ser atencioso, demonstrar consideração, é uma qualidade que parece desaparecer com o tempo. É interessante observar como os jovens conseguem ser atenciosos em seus relacionamentos. Recentemente vi dois jovens apaixonados sentados num banco de jardim. Ventava bastante e uma mecha de cabelo caiu sobre o olho da adolescente. O rapaz estendeu a mão e gentilmente tirou o cabelo do olho dela, o que gerou um belo sorriso de gratidão. Logo em seguida, o vento derrubou a pasta da menina do banco, espalhando papéis por todo lado. Imediatamente, sem parar para pensar, o menino deu um pulo, recolheu os papéis para ela e voltou a sentar-se. Observando aquilo, eu tive de sorrir. Na verdade lembrei que não comprava flores para Kris havia algum tempo, e resolvi fazer isso aquela noite.

No banco bem na frente do casal de jovens havia uma dupla bem mais séria. Pela forma de agir e vendo alianças em seus dedos, supus que fossem casados. Chegou a ser engraçado testemunhar suas reações ao mesmo vento. Enquanto para o casal de jovens o vento representava uma chance de ser atencioso e de fazer gentilezas um para o outro, para os casados era apenas motivo de irritação. Oportunidades similares para ser atencioso se apresentaram mas não foram aproveitadas. Resumindo, eles estavam de mau humor. Era uma daquelas cenas tristes que podem dar uma idéia negativa do casamento e do compromisso.

A outra qualidade consistente que observamos nos adolescentes apaixonados é o entusiasmo. É quase mágico observar o empenho e a vivacidade que muitos casais jovens dedicam ao relacionamento. Quando conversamos com as nossas babás adolescentes sobre seus namorados, é divertido ouvi-las descrevendo como tudo é maravilhoso e excitante. Um telefonema ou um simples bilhete é considerado um presente. Em comparação, quando ouvimos as conversas no vestiário masculino na academia, temos a impressão de que o casamento é entediante, transformou-se num hábito, é sem graça. Ainda estou para ouvir um homem falar da mulher com entusiasmo, animado. Algumas vezes acabei ficando até triste.

É interessante pensar como o entusiasmo pode ser contagioso em um relacionamento. Em outras palavras, quando você fala, pensa e age entusiasticamente, normalmente dá para notar uma reação correspondente da sua parceira (ou parceiro). Quando você está alegre, animado e entusiasmado com a vida, isso "pega" nos outros. Por outro lado, quando está abatido e sério, e quando não tem entusiasmo algum, incentiva esse tipo de sentimentos na sua parceira (ou parceiro) também.

Isso é só para pensar um pouco! Se você puder ir além das explicações lógicas de por que os relacionamentos adultos "comprometidos" devem ser tão diferentes do amor dos adolescentes, pode realmente aprender alguma coisa. Nós dois certamente aprendemos – e não deixamos de agradecer essa compreensão um dia sequer.

95
AFASTE-SE DA TEIMOSIA

Nesse último fim de semana, uma amiga de uma das nossas filhas ficou em nossa casa. Ver duas crianças brincando e interagindo sempre foi muito enriquecedor para nós. Porém mais ou menos na metade do fim de semana, as duas tiveram uma discussão por causa de algum jogo. A alegria e as risadas cessaram de repente. Como cada uma delas estava sendo especialmente teimosa, e uma exigia que a outra pedisse desculpas, a discussão terminou perturbando e interferindo numa parte grande do dia das duas.

Por um lado, nós estávamos rindo porque, na realidade, era engraçada a briga das duas, mas mesmo assim refletimos sobre a capacidade destrutiva da teimosia, em como a obstinação acaba com a nossa alegria e interfere nas qualidades de um relacionamento estimulante e satisfatório.

É fácil entender como um exemplo como esse se aplica aos relacionamentos dos adultos também. A teimosia possui um potencial de invadir até mesmo os melhores relacionamentos.

É uma daquelas qualidades que está sempre aparecendo como resposta à pergunta: "Se você pudesse modificar uma coisa no seu parceiro (ou parceira), o que seria?" De fato, pouca gente considera a teimosia uma qualidade afetuosa ou estimulante.

Nós sempre achamos que discordâncias, não encarar as coisas do mesmo jeito, e pelo menos alguns conflitos, são inevitáveis. Como é que duas pessoas que vivem juntas, ou que têm algum tipo de relacionamento profundo e íntimo, podem evitar pelo menos alguns atritos ou conflitos? Todos nós vemos as coisas de um modo um pouco diferente, pelo menos parte do tempo, não é mesmo? E não é verdade que às vezes estamos tão convencidos de que estamos "certos" que somos até capazes de utilizar os argumentos de outras pessoas para provar nosso ponto de vista? Isso porque todos vemos as coisas do nosso modo e normalmente achamos que estamos vendo direito, mesmo quando não estamos.

Olhando para trás, relembrando o fim de semana da nossa filha, sabemos que o problema não era realmente a discussão, e sim a teimosia. Se uma delas tivesse simplesmente dito "Ora, vamos deixar isso para lá. Eu sinto muito. Será que não podemos começar de novo?", o resultado teria sido diferente. A coisa toda, independente do motivo, de quem começou ou de quem foi a culpa, teria passado como uma tempestade em questão de segundos.

A mesma coisa acontece com todos nós. É fácil culpar nosso parceiro (ou parceira), ou uma questão, uma discussão, briga ou discordância, pela nossa infelicidade. Mas a verdade é que, na maior parte do tempo, a verdadeira culpada é a nossa própria teimosia – o fato de não querer deixar uma coisa para lá, admitir que estávamos errados, ou assumir parte da culpa ou desistir da necessidade de estar "certo". Se conseguimos abaixar nossas defesas, domesticar nosso ego e esquecer nossa necessidade de ser obstinado, é impressionante como a maioria dos problemas se resolve bem depressa, sem dor e sem muito esforço. O segredo é acreditar firmemente que a teimosia, não o seu parceiro (ou parceira), é o inimigo. O sucesso não está em ter razão, e sim na humildade.

De certa forma, a teimosia é a antítese de ser uma pessoa leve. Na verdade, se o seu objetivo fosse se levar ainda mais a sério, um bom ponto para começar seria sendo ainda mais teimoso. Parece haver uma relação direta entre menos teimosia e relacionamentos melhores. Por isso esperamos que você pense bem nessa estratégia e dedique a ela algum esforço e persistência. Achamos que você vai concordar que se afastar da teimosia é um objetivo pelo qual vale a pena lutar.

96
ELEVE SEU PADRÃO DE VIDA

Não pudemos resistir e tivemos de incluir essa estratégia em nosso livro porque, superficialmente, parece contradizer muita coisa que já escrevemos no passado! No entanto, pode ficar tranqüilo, não estou me referindo a elevar seu padrão material de vida, e sim seu modo de viver.

Uma das nossas citações favoritas, de fonte desconhecida, diz assim: "O que você faz fala tão alto que não consigo ouvir o que diz." Nós interpretamos isso achando que nossas vidas são nossos maiores recados. Nosso modo de viver – nossa integridade, honestidade, humildade, sensação de bem-estar, compaixão, generosidade, capacidade de perdoar e várias outras qualidades nobres – demonstra, acima de tudo, o tipo de pessoa que realmente somos.

As implicações desse ato de elevar nosso modo de vida para nossos relacionamentos pessoais são profundas. Quando elevamos nossos padrões para nós mesmos, as outras pessoas sentem e podem até ser afetadas pelas mudanças em nossas vidas. Ou seja, quando nos tornamos menos egoístas e gananciosos, os outros se sentem atraídos para o nosso lado. À medida que ficamos mais bondosos, mais suaves e nos tornamos melhores ouvintes, as pessoas com quem convivemos vão ficando mais à vontade perto de nós e passam a querer partilhar conosco. Nossa capacidade de ser mais humildes e gentis é notada, pelo menos sentida, por todos que nos conhecem.

Conheci Bruce logo depois do seu trigésimo primeiro aniversário. Nessa ocasião, ele reclamou da sua incapacidade de manter um relacionamento saudável. Por fora, ele tinha tudo. Era atraente e tinha bons modos. Parecia saudável e tinha uma carreira profissional de muito sucesso. Tinha muitos hobbies interessantes e bastante dinheiro para executá-los. Além do mais, era simpático e tinha um senso de humor muito bom.

Então qual era o problema?

Depois de conversar com ele menos de uma hora, ficou claro que Bruce era meio egocêntrico. Adorava falar sobre ele mesmo e raramente fazia perguntas sobre as outras pessoas. Gostava de falar, mas não sabia ouvir direito. Sua mente vagava por aí e ele parecia não estar interessado, até chegar sua vez de falar outra vez. Não foi difícil entender por que alguém como Bruce, apesar de todas as qualidades, tinha dificuldade para ter um relacionamento bom e duradouro.

A boa notícia é que Bruce teve humildade e sensatez suficientes para perceber que alguma coisa estava errada e que ele precisava de ajuda. Procurou um conselheiro que o convenceu de que, apesar de ter muitas qualidades, precisava trabalhar um pouco suas habilidades humanas e espirituais. Especificamente, o objetivo do conselheiro era ensinar as alegrias de saber ouvir e de conhecer as outras pessoas num nível mais íntimo.

Por acaso, eu o encontrei rapidamente alguns anos depois e percebi na mesma hora as mudanças nele. Ele contou que durante um certo tempo passou por uma transição muito grande. Seu recém-descoberto interesse pelos outros e a melhora na sua capacidade de ouvir serviram para transformá-lo numa pessoa muito mais generosa, sábia e interessante. Dava para sentir uma presença diferente. Ele estava mais calmo e mais à vontade com as pessoas. Parecia mais feliz. Fiquei encantado de saber que estava noivo. Era fácil entender por quê. Ele havia elevado seu padrão de vida.

Para Bruce, elevar o padrão de vida girava em torno de ser menos egocêntrico. Para outras pessoas, pode significar abaixar a guarda ou talvez aprender a perdoar. Eu estou tentando elevar meu padrão de vida de diversas formas – estou procurando ser mais paciente, deixar de interromper quando os outros estão falando e ser menos intenso, para citar apenas três.

Não há dúvida de que elevar seu padrão de vida – não importa o que isso signifique para você – trará enormes benefícios para a qualidade dos seus relacionamentos. Você verá resultados instantâneos a cada mudança positiva que implementar. O céu é o limite para essa estratégia – todos nós temos algo que podemos melhorar.

97

DÊ AO SEU PARCEIRO UM ESPAÇO PARA PERDER O CONTROLE DE VEZ EM QUANDO

Não importa quem você é, nem se faz poucas tempestades em copos d'água. Haverá momentos em que a vida pregará suas peças em você. Há uma sensação de renovação e de liberdade em estar com alguém que lhe dá espaço para perder o controle de vez em quando – sem julgar você, sem corrigir, fazer sermão ou tentar convencê-lo a não fazer isso. Parece que quando você está com alguém que não tem um ataque quando *você* tem um ataque, em geral acontece uma transferência de calma. Ajuda você a relaxar, a recuperar sua objetividade e a superar o que o deixou tão perturbado.

Eu não perco o controle com muita freqüência. Tenho sorte nisso. Nem sempre, mas a maioria das vezes, estou feliz e satisfeito. Mas uma das coisas boas de ter um relacionamento com a Kris é que quando perco o controle o efeito é mínimo nela, quando há algum. Em vez de reagir, ela continua tolerante e simplesmente tira de letra. Lembro-me de ter perguntado para ela uma vez: "Por que você não se perturba quando eu entro em crise?" Nunca esqueci a resposta que ela deu e tem me ajudado a manter a objetividade e o senso de humor quando passo por essas "provas emocionais". Ela disse: "Não vejo por que você deve ser diferente do resto de nós." O que ela quis dizer, é claro, é que todos estamos essencialmente no mesmo barco. Todos nós fazemos o melhor possível, mas o fato é que cada um de nós tem os próprios problemas, conflitos, pressões, indagações, medos e preocupações. Grande novidade. Às vezes, quando estou realmente frustrado, querendo que meus problemas desapareçam, faço a mesma pergunta: "Richard, por que você deve ser diferente do resto?" Experimente isso um dia. Realmente devolve as coisas à sua devida perspectiva.

Da próxima vez que seu parceiro (ou parceira) perder o controle sobre alguma coisa que não é realmente uma emergência, faça essa experiência. Em vez de ficar aborrecida ou muito preocupada com a frustração do seu parceiro, simplesmente mantenha a calma. Tenha compaixão, mas não reaja. Deixe que ele extravase, berre, reclame ou qualquer outra coisa (razoável, claro) que pareça precisar fazer.

Você pode ter uma surpresa agradável com o resultado. Em muitos casos, o seu parceiro pode sentir sua paz de espírito e começar a relaxar. Em geral, quando as pessoas expressam sua frustração, paira no ar a sensação de que não se deve fazer isso. Se você conseguir ficar relativamente inabalada, seu parceiro terá uma sensação de alívio que nunca sentiu antes, de que alguém o está ouvindo sem julgá-lo, e que ganhou aquele espaço para ser humano. É estranho porque você não precisa *fazer* nada, a não ser estar lá ao lado dele. Na verdade, é mais uma questão de o que você *não* faz que, no fim das contas, é tão poderoso.

Estranhamente, eu acho que perco o controle com menos freqüência simplesmente porque lá no fundo sei que não faria mal se perdesse. Imagino que se ficasse inseguro quanto a expressar meus sentimentos perto da Kris, teria uma pressão a mais para encarar.

Por isso, esperamos que você experimente essa idéia. É muito tranqüilo estar com alguém que deixa você "perder a cabeça" de vez em quando. O ato de permanecer calmo quase sempre aproxima ainda mais vocês dois.

98

EQUILIBRE SEUS ATOS (KRIS)

Para quase todas as pessoas a vida ficou tão louca que quase pode ser chamada de um ato de equilibrismo. Muitas vivem correndo, frenéticas, nervosas, angustiadas com o tempo, realizando tarefas e fazendo coisas num ritmo alarmante. Nem a tecnologia parece ajudar. Muitos de nós possuem conveniências modernas e aparelhos que economizam tempo, mas poucos temos tempo suficiente. Sendo esse o caso, temos de concluir que pelo menos uma parte da nossa turbulência interior deve estar partindo de dentro de nós e da nossa opção de vida.

É importante saber se realmente queremos passar o resto das nossas vidas sem controle, correndo mais que as pernas agüentam e tratando a vida como se fosse uma emergência. Não seria melhor se pudéssemos nos acalmar um pouco e recuperar nossa objetividade? Um dos segredos para recuperar a sensação de paz e compostura é dar pelo menos um certo grau de equilíbrio à nossa vida.

Quando perdemos o equilíbrio, muitas vezes descobrimos

que nossa saúde fica comprometida, nossa família se desestrutura e nossos relacionamentos viram um caos. Acabamos sempre numa correria danada, esquecendo tudo e extremamente frustrados. Mas quando criamos um equilíbrio parece que mitigamos esses problemas e os substituímos por sentimentos de paz e pela sensação de que é bom viver.

Uma boa forma de pensar em equilíbrio é ver sua vida como um pêndulo que balança para lá e para cá. A localização ideal desse pêndulo é bem no centro – perfeitamente equilibrado. Quando balança demais para a esquerda, você deve fazer alguns ajustes, calibrando o pêndulo para a direita, para encontrar o centro novamente. O melhor monitor de como você está se saindo é o que você sente. Em geral, quando você está tranqüilo e satisfeito, provavelmente está bem próximo do centro, nos trilhos, fazendo boas escolhas. Por outro lado, quando você se sente perdido e sobrecarregado, provavelmente está descentralizado, precisando fazer aqueles ajustes.

Talvez seja melhor usar o bom senso para conseguir mais equilíbrio. Se possível, procure evitar os extremos. Dezoito horas de trabalho obviamente é demais. Três horas de sono não é o bastante. Você pode não precisar de exercícios demais todos os dias, mas é claro que precisa de algum exercício regularmente. Pense em termos de uma vida equilibrada. Tome decisões equilibradas que sustentam um estilo de vida saudável e feliz.

Se sair de férias por uma semana, provavelmente terá de

trabalhar mais para recuperar esse tempo quando voltar. Tudo bem, só não exagere. Inversamente, se tiver um prazo que exige trabalho extra, planeje com antecedência. Quando completar o projeto, procure compensar passando mais tempo com seu parceiro (ou parceira) e sua família e menos trabalhando.

Além disso, pare de correr. A sensação de estar sempre com pressa cria muita ansiedade para você e para as pessoas à sua volta, especialmente para as que moram com você.

Anos atrás nós percebemos que nossas vidas estavam desequilibradas e que vivíamos apressados. Parecia que estávamos sempre atrasados, e quando Jazzy era bebê ela sempre chorava quando nos preparávamos para sair. Descobrimos que estávamos tentando fazer coisas demais. Espremíamos coisas demais nos nossos dias. Tivemos de deixar algumas delas de lado para recuperar o equilíbrio. Logo que começamos a conquistar esse equilíbrio, recuperamos o controle das nossas vidas.

Há pouco tempo minha melhor amiga e eu viajamos um fim de semana juntas. Ouvimos uma conversa de uma mulher sobre uma experiência que tinha tido no dia anterior. Ficara presa no trânsito mais de duas horas. Chegou ao seu destino e freneticamente estacionou o carro. Estava, é claro, muito atrasada. Para piorar ainda mais as coisas, seus dois filhos berravam no banco de trás e ela não conseguia armar o carrinho. Naquele momento o telefone celular dela tocou. Só de ouvir a história já estávamos nervosas. Infelizmente nós duas já tínhamos passado por isso.

Como é que o desequilíbrio afeta o seu relacionamento? Richard e eu estávamos uma vez num restaurante em Los Angeles. Vimos duas pessoas que obviamente tinham se encontrado para almoçar, cada uma pendurada em seu celular, conversando com outras pessoas. Um pouco desequilibrado, você não acha?

Escolher o equilíbrio em vez do caos não deixará sua vida perfeita, mas ela terá muito mais qualidade e seus relacionamentos serão mais profundos e gratificantes. Por isso, apesar de talvez nunca atingir o equilíbrio perfeito, qualquer esforço nesse sentido sempre valerá a pena.

99
LEMBRE A MAGIA

Num recente artigo da revista *Life* intitulado "A ciência do amor", pesquisadores explicam que o "Não consigo ficar um segundo longe de você" (ou a "fase da lua-de-mel") num relacionamento dura de dezoito meses a três anos, depois daquela primeira paixão. Então vamos falar de uma estratégia que pode ajudar a resgatar aqueles sentimentos e a lembrar a magia da paixão. É bem simples. Mantenha viva a paquera.

Arranjem um tempo em seus horários atarefados para ficarem juntos. É muito fácil esquecer de arranjar tempo para curtir um ao outro do jeito especial que fazíamos quando estávamos namorando. Afinal, a vida fica saturada de carreiras profissionais e responsabilidades com a família, enquanto a intensidade que um dia sentimos em relação ao outro muitas vezes é substituída por sentimentos de normalidade e de rotina da vida. Mas se você ousar recuperar aquela fagulha e sair da rotina, ficará surpreso com o resultado. Leve flores para casa sem mais nem menos, surpreenda seu marido com uma carta de amor enviada ao escritório dele, escrevam poesia um para o outro. Saiam para passear de mãos dadas. Façam alguma coisa! Há muitas maneiras simples de manter a atmosfera de namoro e que vão ajudá-los a lembrar, dar valor e a manter aquela magia bem viva.

Depois do nascimento da nossa primeira filha, há quase dez anos, descobrimos que sentíamos falta da qualidade de tempo que sempre valorizamos. Não podíamos mais sair bem cedo para correr juntos, e até mesmo nosso ritual de tomar café foi substituído pela amamentação. Apesar de o orçamento ser muito apertado, naqueles primeiros anos, ainda assim achávamos que para estimular nossa união precisávamos de tempo para as "noites de namoro" semanais.

Quando você tem filhos, seu relacionamento pode definitivamente passar para um segundo plano e, se não tomar cuidado, pode se perder para sempre na vida familiar. Apesar de parecer que há sempre alguém ou alguma coisa que precisa do nosso cuidado ou o dever de casa que precisa ser feito, é importante que sua vida a dois continue sendo prioritária.

Vale muito a pena, por exemplo, encontrar uma boa babá para cuidar das crianças algumas horas por semana, ou por mês, para vocês dois poderem curtir um ao outro sem interrupções. Rapidamente vão lembrar por que se gostam tanto, e terão mais tempo para dar valor um ao outro. Uma noite é maravilhosa, mas um fim de semana fora é melhor ainda. Nós sempre procuramos tirar dois ou três fins de semana todo ano para reciclar aquela magia entre nós. Se não for possível, qualquer tempo que você puder arranjar será útil.

Pare um tempo para refletir sobre aqueles primeiros dias, semanas e anos que passaram juntos. Surpreenda seu companheiro (ou companheira) com um ritual do passado e traga-o de volta aos momentos presentes juntos. Faça as coisas que costumava fazer. Desempenhe o amor que você sente e assim vai reacender sua união. E mais ainda, se lembrará da magia da paixão.

100
FAÇA DO OUTRO O SEU TESOURO

Um dos recados mais vitais e amorosos que você pode dar para quem você ama é dizer: "Você é o meu tesouro." Quando uma pessoa sabe que é valiosa, sente que é importante e valorizada. Isso serve de estímulo para que valorize você também, para continuar leal e carinhoso, e para sentir que seu relacionamento é gratificante. Pensando bem, dizer que alguém é o seu tesouro é um dos maiores elogios que se pode fazer – e uma das melhores maneiras de dizer "eu te amo".

A melhor forma de fazer alguém saber que é um tesouro para você é dizendo mesmo. Diga sempre para o seu parceiro (ou parceira) o que gosta nele (ou nela). Seja específico. Se gosta do sorriso, da risada, de alguma coisa que ele ou ela faz, seja o que for, diga. Não cometa o erro de supor que seu parceiro (ou parceira) já sabe o que você gosta – pode ser que não saiba. Pode ser que você não diga isso para ele ou para ela há muito, muito tempo.

Um dos benefícios paralelos resultantes do fato de dizer

para o seu parceiro (ou parceira) que ele (ou ela) é o seu tesouro, é que os aspectos positivos do seu relacionamento são enfatizados e ganham força. Concentrado nos traços, hábitos e comportamentos positivos do seu parceiro você terá sua atenção voltada para o que dá certo em seu relacionamento e o que vocês gostam um no outro. Ajuda a deixar de lado as imperfeições e evita que você faça tempestade em copo d'água. Além disso, quando seu parceiro (ou parceira) conhece bem o que você gosta nele (ou nela), ele (ou ela) vai querer repetir as atitudes e os comportamentos que você acha tão atraentes. Por exemplo, se você disser para o seu parceiro (ou parceira) "Gosto muito do fato de você quase sempre se lembrar de dizer obrigado (ou obrigada) quando me esforço para fazer alguma coisa por você", ele (ou ela) provavelmente continuará a fazer isso. A sua informação positiva reforça e solidifica uma característica que já é positiva. Se, por outro lado, você achar que essa tendência é natural e se acomodar, e se o seu parceiro (ou parceira) nem souber que você aprecia, a probabilidade é que isso pare de acontecer.

Temos uma amiga que é psicóloga, especializada, entre outras coisas, em aconselhamento matrimonial. Ela diz que é muito comum as pessoas saberem o que os parceiros não gostam nelas – mas não têm idéia do que eles gostam ou apreciam. Não admira precisarem de aconselhamento! Mas de acordo com a nossa amiga, um reconhecimento mínimo, e maior concentração no que é positivo, em vez de só prestar atenção no que pode ou deve ser melhor, pode significar uma reviravolta no relacionamento. As conclusões dela parecem coerentes com a nossa observação.

Uma das coisas que foi sempre natural para nós é a disposição de dividir o que gostamos um com o outro. Por exemplo, eu sempre gosto quando Kris se faz de boba – e ela sabe, porque eu digo. Também gosto do jeito que ela se envolve na vida das crianças, do seu talento para criar beleza onde quer que vá, da facilidade com que faz amizades e como faz todo mundo rir, e como é capaz de perdoar. Ela, por sua vez, diz que gosta de eu estar sempre disposto a ajudar no trabalho doméstico e de como tenho jeito com as nossas filhas. Há muitas coisas de que gostamos um no outro, e a disposição de partilhar abertamente o nosso gosto reforça o que há de bom em nosso relacionamento. Acho que, com poucas exceções, Kris e eu dizemos um para o outro pelo menos uma coisa que gostamos todos os dias, desde que nos conhecemos. Uma vez, quando enfrentávamos um raro conflito entre nós, ela disse: "Sabe de uma coisa, Richard? Eu gosto muito da sua boa vontade de deixar as coisas para lá." Você pode imaginar que não brigamos mais por um bom tempo.

Como a maioria dos casais, já passamos por muita coisa nesse tempo que estamos juntos – a maioria delas, boas. Mas uma coisa não muda nunca: sempre fomos um tesouro para o outro – e esperamos que vocês sejam também.

COLEÇÃO ARCO DO TEMPO
Consultoria de Alzira M. Cohen

MEDITAÇÃO — Pam e Gordon Smith
VOLTA AO LAR — John Bradshaw
A CRIAÇÃO DO AMOR — John Bradshaw
QUÍRON E A JORNADA EM BUSCA DA CURA — Melanie Reinhart
PAZ A CADA PASSO — Thich Nhat Hanh
VIVENDO BUDA, VIVENDO CRISTO — Thich Nhat Hanh
A ESSÊNCIA DOS ENSINAMENTOS DO BUDA — Thich Nhat Hanh
O NOVO DESPERTAR DA DEUSA — org. Shirley Nicholson, vários autores
AS PLANTAS E SUA MAGIA — Jacques Brosse
ANJOS E EXTRATERRESTRES — Keith Thompson
A MENTE HOLOTRÓPICA — Stanislav Grof
MULHERES QUE CORREM COM OS LOBOS — Clarissa Pinkola Estés
AS CARTAS DO CAMINHO SAGRADO — Jamie Sams
CARTAS XAMÂNICAS — Jamie Sams & David Carson
PLANETAS DE SOMBRA E DE LUZ — Irène Andrieu
JOGOS EXTREMOS DO ESPÍRITO — Muniz Sodré
MÍSTICA E ESPIRITUALIDADE — Leonardo Boff e Frei Betto
CORPO SEM IDADE, MENTE SEM FRONTEIRAS — Deepak Chopra
O CAMINHO DO MAGO — Deepak Chopra
DIGESTÃO PERFEITA — Deepak Chopra
ENERGIA ILIMITADA — Deepak Chopra
DOMINANDO O VÍCIO — Deepak Chopra
SONO TRANQÜILO — Deepak Chopra
PESO PERFEITO — Deepak Chopra
AS SETE LEIS ESPIRITUAIS PARA OS PAIS — Deepak Chopra
O CAMINHO PARA O AMOR — Deepak Chopra
O CAMINHO DA CURA — Deepak Chopra
COMO CONHECER DEUS — Deepak Chopra
AS VIDAS DE CHICO XAVIER — Marcel Souto Maior
O LIVRO DO PERDÃO — Robin Casarjian
MENSAGEM DO OUTRO LADO DO MUNDO — Marlo Morgan
MENSAGEM DO ETERNO — Marlo Morgan
UM MUNDO ESPERANDO PARA NASCER — M. Scott Peck
A CURA E A MENTE — Bill Moyers
RUMO AO PONTO ÔMEGA — Kenneth Ring
CURA ESPONTÂNEA — Andrew Weil
SAÚDE IDEAL EM 8 SEMANAS — Andrew Weil
ALIMENTAÇÃO IDEAL PARA UMA SAÚDE PERFEITA — Andrew Weil
DONS DA GRAÇA — Lone Jensen
SEDE DE PLENITUDE — Christina Grof
PORTAIS SECRETOS — Nilton Bonder
REIKI — Brigitte Müller & Horst H. Günther
MILAGRES DO DIA A DIA — David Spangler
CESTAS SAGRADAS — Phil Jackson & Hugh Delehanty
ESPERANÇA DIANTE DA MORTE — Christine Longaker
O ESPÍRITO DE TONY DE MELLO — John Callanan, S. J.
A PORTA PARA SEU EU INTERIOR — John Callanan, S.J.
SEU SEXTO SENTIDO — Belleruth Naparstek
FENG SHUI — Maria Margarida Baldanzi
REFÚGIO PARA O ESPÍRITO — Victoria Moran

AMOR & SOBREVIVÊNCIA — Dean Ornish, M. D.
NÃO FAÇA TEMPESTADE EM COPO D'ÁGUA... — Richard Carlson, Ph. D.
NÃO FAÇA TEMPESTADE EM COPO D'ÁGUA NO TRABALHO — Richard Carlson, Ph.D.
NÃO FAÇA TEMPESTADE EM COPO D'ÁGUA COM A FAMÍLIA — Richard Carlson, Ph.D.
NÃO FAÇA TEMPESTADE EM COPO D'ÁGUA PARA ADOLESCENTES — Richard Carlson, Ph.D.
NÃO FAÇA TEMPESTADE EM COPO D'ÁGUA NO AMOR — Richard Carlson, Ph.D. e Kristine Carlson
EMOÇÕES QUE CURAM — org. Daniel Goleman
O TAO DA VOZ — Stephen Chun-Tao Cheng
O VALOR DA MULHER — Marianne Williamson
ILLUMINATA — Marianne Williamson.
ANAM ĊARA — John O'Donohune
O JOGO DAS SOMBRAS — Connie Zweig, Ph.D. e Steve Wolf, Ph.D.
ANATOMIA DO ESPÍRITO — Caroline Myss, Ph.D.
PURIFICAÇÃO EMOCIONAL — John Ruskan
O PODER DO FLUXO — Charlene Belitz e Meg Lundstrom
DOZE PONTOS DE OURO — Aliske Webb
UM CURSO EM AMOR — Joan Gattuso
O DESPERTAR DO BUDA INTERIOR — Lama Surya Das
CÍRCULO DE XAMÃS — Olga Kharitidi, M.D.
I CHING — Thomas Cleary (tradução p/o inglês)
O ESPÍRITO DO TAO — org. Thomas Cleary
A ARTE DA PAZ — Morihei Ueshiba — compilação de John Steveens
ENSINAMENTOS DO BUDA — org. Jack Kornfield e Gil Fronsdal
ECOS ETERNOS — John O'Donohue
O SEGREDO DO XAMÃ — Douglas Gillette, M.A., M. Div.
OS ESTÁGIOS DA MEDITAÇÃO — O Dalai Lama
OS PLANETAS E O TRABALHO — Jamie Binder
O LIVRO TIBETANO DOS MORTOS — tradução p/ inglês e comentários de Francesca Fremantle & Chögyam Trungpa

Este livro foi composto pela
Art Line Produções Gráficas Ltda.
Rua Visconde de Inhaúma, 64 - Centro - RJ
e impresso na Editora JPA Ltda.
Av. Brasil, 10.600 - Rio de Janeiro - RJ
em novembro de 2001,
para a Editora Rocco Ltda.